au **mitan**
de la vie

Maquette de la couverture: Jacques Léveillé.

ISBN 0-7761-5500-8

Dépôt légal — Bibliothèque Nationale du Québec
2e trimestre 1976.

au **mitan** de la vie

jacques grand'maison

LEMÉAC

DU MÊME AUTEUR

Crise de prophétisme. Montréal, Éd. de l'A.C.C., 1965.

Le monde et le sacré. Paris, Éd. Ouvrières, 1966-1969, 2 tomes.

Vers un nouveau pouvoir. Montréal, Éd. HMH, 1969.

Nationalisme et religion. Montréal, Éd. Beauchemin, 1970, 2 tomes.

Stratégies sociales et nouvelles idéologies. Montréal, Éd. HMH, 1971.

Nouveaux modèles sociaux et développement. Montréal, Éd. HMH, 1972.

Symboliques d'hier et d'aujourd'hui. Montréal, Éd. HMH, 1973.

Des milieux de travail à réinventer. Montréal, Éd. P.U.M., 1975.

Le Privé et le public, Leméac, 1975, 2 tomes.

Une tentative d'autogestion, P.U.M., 1975.

Lettre au lecteur

Je veux te présenter cet ouvrage d'une façon très personnelle, sur un ton direct, sans détour. Est-ce impudeur ou naïveté que de te tutoyer un peu comme un compagnon de route, un familier? Je fais le pari de certaines connivences entre nous. N'avons-nous pas au départ beaucoup de choses en commun? Une même condition humaine, une contemporanéité, un fond historique similaire et peut-être certaines appartenances partagées. Pour moi, ces solidarités de base ne sont pas de vagues références. Avant de nous classer, de nous étiqueter, ne faut-il pas savoir nous retrouver à niveau d'homme? L'homme nu, sans statut particulier, sans portefeuille, sans passeport.

J'arrive d'un long périple autour du monde. Quelle joie de retrouver ma patrie! Mais je ne puis oublier cette expérience d'humanité que je viens de vivre. La famille humaine a pris chez moi une signification inédite. Bien sûr, j'ai rencontré des cultures et des hommes très différents en passant d'un coin du monde à l'autre. J'ai souffert de voir l'ampleur des exploitations, des préjugés, des haines et des divisions qui séparent les hommes. Par ailleurs, cette utopie d'une communauté humaine solidaire ne m'est jamais autant apparue engoncée dans le réel. J'ai vu des enfants noirs, blancs, rouges ou jaunes qui jouaient les mêmes finesses. J'ai vu des gestes humains identiques chez les paysans africains, sud-américains ou indiens, chez les citadins des principales villes du monde. Il m'est arrivé plusieurs fois de vivre des rencontres où s'établissait une telle communion humaine que nous oubliions notre condition d'étrangers.

Alors pourquoi, ici, dans mon pays, ne tenterais-je pas le même pari, avec autant de confiance que là-bas? Pourquoi réduire le public des lecteurs à une masse anonyme? Il y a bien un geste personnel chez celui qui lit un bouquin, qui réfléchit avec un auteur pendant plusieurs jours. Je tiens donc à expliciter ce rapport et à m'adresser à toi comme si tu étais devant moi. Ce genre d'ouvrage s'y prête peut-être mieux qu'un autre. *Je veux te dire comment je vois, je sens et je vis ce «milieu» dans lequel nous baignons tous les deux. C'est un livre très personnel... un peu fou. J'ai voulu une expression libre, expérimentale, exploratoire, sur plusieurs claviers. Toujours j'ai essayé de te renvoyer à ta propre expérience. Elle est inestimable. Je ne te le dis pas par flagornerie. Je veux te donner le goût d'y puiser, un peu comme j'ai tenté de le faire avec mon propre matériau, si pauvre soit-il.* Par delà nos singularités et nos différences, je crois à cette rencontre intérieure des hommes qui acceptent de s'ouvrir le coeur. Loin de moi toute tentation de strip-tease, de faux intimisme, de confidence-clin-d'oeil. D'ailleurs, j'ai bien hésité avant de livrer le fond de moi-même. Il faut se réserver son propre creux de mystère. Je n'aime pas plus les confessions publiques que les procès indécents.

Compte tenu du respect de soi et des autres, j'ai cru possible une certaine révélation de ma petite expérience d'homme. Je l'ai fait en pensant particulièrement à ceux de mon âge qui sont au mitan de la vie.

 On parle beaucoup de la jeunesse et de la vieillesse,

on assiste à une vraie révolution féminine. Que se passe-t-il chez l'homme de la quarantaine? Ne se sent-il pas oublié, coïncé? Ne fait-on pas peser sur lui d'énormes responsabilités, disproportionnées par rapport à l'intérêt qu'on lui porte? J'ai l'impression d'avoir beaucoup en commun avec cet homme. Bien sûr, ma condition de clerc célibataire me singularise. Je sais le danger de généraliser. Mon métier de sociologue me l'a appris. Mais en misant sur cette idée première des convergences profondes entre les hommes, je puis risquer ici une communication, un échange... et trouver certaines longueurs d'onde communes, non seulement avec les lecteurs de ma génération, mais aussi avec les autres.

Tu me pardonneras ici un plaidoyer pro domo. Mon travail spirituel me permet de rencontrer les êtres dans ce qu'ils ont de plus profond en eux. Ils m'ont beaucoup appris sur l'homme, sur la vie, sur le milieu d'ici. J'ai sans doute plus de temps qu'ils n'en disposent eux-mêmes pour communiquer une telle expérience humaine. Peut-être aussi dois-je avouer que cette communication est une sorte de substitut à l'exercice de la paternité? Le père peut faire passer son expérience à tous les jours chez les siens. Dans ma vie de célibataire, les êtres défilent. Il en va de même dans ma profession d'éducateur. Alors, je sens le besoin de communication plus durable, le désir de me prolonger dans le temps et dans l'espace. Et pourquoi pas? «Si je ne peux procréer, je vais créer», ai-je dit un jour à mon évêque. Entre autres choses, j'écris mon vingtième bouquin. Eh oui, j'en ai quasiment honte! Une réédition personnelle de la revanche des berceaux. D'ailleurs, on ne manque pas de me le reprocher. Mais je suis impénitent. Malgré une vie d'action très chargée, je fais de l'écriture le lieu de réflexion et de transmission de mes plus fortes expériences.

Dans cet ouvrage, je mets de côté les canons scientifiques, les grandes analyses dont j'ai sans doute abusé. Je fais le point au tournant de mes quarante ans. Ma secrétaire qui a dactylographié tous les manuscrits antécédents, me suggérait un petit roman salé pour enfin trouver intérêt à mes écrits! Le manque de talent plus que la pudeur m'a empêché d'adopter ce genre littéraire. L'idée n'était pas si incongrue tout de même. Ne dit-on pas que le premier roman est la plupart du temps autobiographique. J'ai préféré poursuivre ma foulée d'essayiste, tout en laissant plus de place à l'expression spontanée et à un brin de poésie. Sans pour cela me faire illusion. Je suis davantage un tâcheron des contenus qu'un orfèvre des contenants. Plus un artisan qu'un artiste. D'aucuns s'inquiètent de l'absence de grands chefs-d'oeuvre au Québec. Pour les consoler, j'aimerais leur rappeler que des milliers d'artisans modestes ont préparé le génie de Michel Ange. Les élitistes de tout crin veulent ignorer ces humbles cheminements de l'histoire. Par honnêteté et aussi au nom de cette fierté d'artisan je me présente à toi comme un simple homme de métier, qui aime son travail, qui croit à la création collective, qui sait la force humanisante d'un compagnonnage quotidien.

L'esprit de procès et l'idéologisation abstraite des derniers temps nous empêchent parfois de saisir et de vivre certaines solidarités vraies qui échappent aux catégories reçues, décrétées, ou souhaitées. On ne s'est jamais autant «tapé la gueule» au Québec. Il y a quelque chose d'anti-démocratique et d'anti-peuple dans certains départages artificiels et manichéens de camps, de chapelles, de bons-méchants, etc. Je ne veux pas nier les rapports de forces, leur réalité sociale, leur sens politique, leur exigence de lutte. Mais j'insiste ici sur ce qu'on pourrait appeler *un amour foncier de l'être humain, universel et situé. Une capacité de nous reconnaître, de nous comprendre par nos racines, par nos rêves, par notre histoire commune, par notre métier, par notre peuple et par tous ces humbles repères de notre condition humaine.* Il y a des charriages idéologiques qui effacent tout cela. Ils déshumanisent et dépolitisent radicalement, tout en renvoyant l'individu à sa solitude dans cette froide cité de cubes, d'asphalte et de plastique. Dans cette foulée insensée, nous ne savons plus nous parler, nous écouter et même nous battre, encore moins atteindre l'homme dans l'autre. Rituels décrochés de la vie publique, renfrognement de la vie privée, voilà les conséquences de cette absence d'empathie humaine au coeur de la vie réelle. Je nous souhaite plus de chair et plus d'âme.

Les dernières remarques m'amènent à te dire dans quel esprit j'aborde ce mitan de la vie. Un peu à la façon d'un anti-héros qui veut affirmer d'abord la condition commune sans fard et sans apprêt. N'y vois pas un certain flirt avec l'idéologie à la mode qui mythifie paradoxalement le monde ordinaire. Non, c'est plutôt un effort d'honnêteté face à moi-même. *Plus j'avance dans la vie, plus je me sens à la taille des gens qui m'entourent, avec les mêmes élans et de semblables limites. Malgré les plébiscites militants pour les gens ordinaires, je nous soupçonne tous de ne plus savoir trouver le sel et le levain cachés dans la condition commune, dans la vie de la semaine.*

Nous sommes rarement au naturel. Nous ressemblons à cette eau potable vendue en cruche au Dominion. Il y a plus ici qu'un travers de la révolution technologique ou que le scandale de la pollution. Nous avons été complices de l'industrialisation factice de la vie, de la santé, de l'amour. Même le langage perverti et maquignonné des publicitaires vient travestir la vérité de nos rapports. Faut-il alors emprunter les voies anarchiques d'une contre-culture sauvage pour retrouver un peu de naturel ? Faut-il, comme des folkloristes, cultiver l'âge d'or du bon vieux temps ?

Faut-il aller cueillir les épices fortes de l'Orient pour mettre du piquant dans une existence insipide? Voilà peut-être d'autres façons aussi stupides d'acheter de l'eau potable à un quelconque comptoir étranger à notre itinéraire réel.

Je préfère ignifier, tremper, forger patiemment le dur métal que j'ai à la main. J'aime mieux entraîner le muscle de mon coeur plutôt que d'escompter la greffe d'un autre. Je ne suis pas le seul à penser ainsi, n'est-ce pas? On revient à une vie plus sensée. C'est un signe positif des temps. Mais peut-être nous manque-t-il une sagesse, une économie, une philosophie pour recroiser humainement la trame des fils anciens et nouveaux qui s'enchevêtrent pêle-mêle dans notre âme et conscience? Je ne chercherai pas de canevas idéal, ni ne viserai la toile géniale. Notre monde ouvert nous invite à l'exploration de tous les possibles, à la responsabilité de difficiles choix et à la persévérance dans la décision toujours limitée. Dans l'anomie actuelle, l'entreprise est redoutable. Il était plus aisé, hier, de se situer dans un ordre qui apparaissait si sûr et si naturel. *Donner cohérence et appui à une liberté s'avère plus exigeant que de fonder une obligation*. Mais comment oublier, à côté de cette noblesse de visée, le désarroi de tant d'hommes qui ne savent plus leur chemin? Les nouvelles maladies mentales comme les débats politiques de plus en plus incohérents témoignent du déboussolement contemporain. Or, on investit très peu sur les questions de fond. On passe vite aux mécanismes et aux instruments, aux techniques et aux programmes. On compte sur les expertises des autres et sur cette nouvelle Providence-panacée qu'est le «gouvernement». Mais les citoyens, les leaders savent-ils vraiment ce qu'ils veulent? Qu'en est-il des orientations et des dynamismes internes à l'expérience de vie des uns et des autres? Quand les cohérences de base ne sont plus là, je me demande quelle pertinence aura tel ou tel changement de structure ou de politique? Bien sûr, il ne faut pas minimiser l'importance de cette dernière démarche. Mais je suis persuadé que le vague à l'âme, la dispersion mentale et la confusion sociale dans la vie courante brisent au départ tous les efforts collectifs de nouvelles cohésions politiques. Tout se passe comme si l'on cherchait une neuve carapace plutôt qu'une colonne vertébrale, un « esprit », une forte intériorité.

J'ai décrit ailleurs la « société à deux étages », et montré comment les superstructures du second avaient écrasé le premier étage de la quotidienneté. Aujourd'hui, je me rends compte que les problèmes majeurs sont moins dans l'édifice social que dans le sous-sol. Un sous-sol toujours riche, mais défait, obscur, peu cultivé. Un sous-sol dont on ne sait plus l'économie, ni du terreau, ni des sucs, ni de la sève, ni des racines. Un sous-sol pourtant travaillé par des forces montantes de rajeunissement. Savons-nous les harnacher, les orienter, les féconder? J'ai le sentiment que les hommes d'ici ont surtout besoin de profondeur et d'intériorité pour réapprendre à cultiver leur terre, leur expérience, bref, les ressources réelles qu'ils ont sous leurs pieds.

L'histoire proprement humaine ne se fait pas comme une rallonge de table. C'est un acte qui ressemble davantage à la culture première de la terre. On a trop moqué la prudence conservatrice des paysans, comme si elle n'était pas mobilisée par un grand élan de fécondité. Il faut savoir labourer, irriguer, semer, effardocher, vanner, moissonner son expérience humaine. Parfaire la connaissance de sa terre. Y déceler ses secrets, ses virtualités propres, ses limites, avec un réalisme lucide et têtu. Dans ma tradition spirituelle, l'homme cherche moins à s'ajouter une coudée qu'à se creuser l'âme pour libérer la source de nouveaux dépassements féconds. Nos styles récents de vie, d'éducation, de lutte, d'aménagement n'ont pas tellement développé cette démarche spirituelle essentielle. Nous sommes devenus des analphabètes en matière de conscience, de philosophie et d'histoire. *Derrière toutes les fortes réalisations historiques, même les plus techniques et économiques, on trouvera une certaine qualité intellectuelle et morale, une certaine cohérence dynamique de l'expérience de vie. Plus ou moins critiquables, bien sûr, mais révélatrices de ce qui fait des hommes et des peuples vivants, consistants et entreprenants. La vitalité est toujours intérieure.*

Depuis trop longtemps, nous avons cessé de croire à la valeur des forces spirituelles. Voyez nos discussions sur les changements à faire. Elles portent sur des correctifs structurels, sur le système à abattre ou à renflouer. Des batailles de contenants. Cette pauvreté spirituelle a vidé la mémoire, le présent et l'avenir de ce qu'il y a de plus vital au coeur des hommes de mon pays. Nous sommes tous un peu complices de ce manque intérieur. D'où ces attitudes énervées, erratiques qui transforment nos milieux de vie en volcans sans cesse menaçants et incontrôlables. Nous ne sommes plus maîtres de ce qui sort de nous, peut-être parce que nous avons désappris à cultiver notre vie intérieure. Privilège bourgeois, m'objectera-t-on. Allons donc! J'ai rencontré cette densité d'âme chez les gens très simples, chez nous et ailleurs, dans ma petite ville ouvrière comme dans les campesinos du Chili. Un je ne sais quoi de limpidité, de dignité et de force morale qui seront toujours nécessaires à de solides engagements personnels et collectifs.

Voilà la perspective de cet ouvrage. Mise au point d'une expérience de vie. Interpellation du lecteur sur le même terrain. Prospection de la condition humaine dans notre propre sous-sol historique. On y trouvera tantôt le parfum du « foin d'odeur », tantôt le goût âpre des herbes amères. Des tendresses mêlées aux colères. Un élan entêté de liberté et une quête patiente de sagesse. Je n'ai pas caché mes options, tout en cherchant à comprendre celles des autres. J'ai voulu donner cohérence à mes divers engagements spirituels, professionnels et politiques. J'ai plaidé pour d'humbles apprentissages que plusieurs d'entre nous ont négligés. La culture de notre propre arpent de terre reste le premier et le dernier test de vérité de notre coefficient humain. Même pour comprendre les racines culturelles des autres... et une certaine sève commune. Ces images sont peu citadines. Je nous sais pour la plupart en ville. Il ne faudrait pas flairer ici un retour nostalgique à la terre paternelle. Je propose plutôt une « économie de vie » à réinventer dans nos lieux réels d'existence. Et je me sers d'une certaine référence commune que nous pouvons tous comprendre.

I

VISAGES D'HOMMES

● Confidences d'un sauvage

Fidèle à la note personnelle que je viens d'annoncer, je me présente. Ma vie ressemble au saumon qui remonte la rivière. Vous savez, cet animal obstiné et un peu bête qui se tue à «re-vaucher» les chutes. Comme lui, j'ai peut-être plus d'instinct que de raison. Il y a un je ne sais quoi de primitif chez moi, une sorte de violence du vital, de l'essentiel. Sauvage sur les bords, quoi!

La mode n'est pas au volontarisme. Peu importe, c'est mon enseigne. À ma fine pointe, je crois l'homme plus fort que son destin: celui qu'on lui impose ou celui qu'il s'invente. C'est par une telle brèche que j'accède à l'humanité. Je dois ici beaucoup à mon appartenance spirituelle. Une espérance qui ouvre sans cesse l'expérience humaine sur de nouveaux horizons. Une foi folle, gratuite qui fait éclater les frontières du réel et de la science. Une Vie qui anime, libère et transfigure le quotidien pour l'amener à des dépassements inédits. L'extraordinaire d'une histoire dans l'ordinaire de mes pauvres limites d'homme.

Et en même temps, je me vois perdre ma vie un peu comme le grain que j'ai semé. Je ne moissonnerai pas les fruits de mes plus durs combats. D'autres après moi... est-ce masochisme? Pourtant j'aime ma vie avec sa riche pulpe, et son ferment de passions. Je m'y accrocherai tant qu'elle me cognera au coeur. En son creux de mystère, il y a bien sûr le vertige de la mort toujours proche. Mais en même temps, je sais la Nouvelle d'un autre enfant à naître au fond de moi. Une vie plus tenace que les neiges éternelles, que les rochers de notre terre, que le retour des parfums de mai.

Ce grand courant d'amour mêlé de libérations combattantes ouvre le monde à l'avenir. Mais il faut en connaître le mouvement. Après avoir lutté contre le torrent de la montagne, le saumon retourne à la mer. Je raconterai l'histoire de ma remontée à contre-courant, suivie d'une rentrée dans l'océan avec ses marées véhémentes et sa paix des profondeurs. Ce propos peut paraître prétentieux. Ma toute petite expérience le ramènera à une taille humaine bien simple et bien modeste.

Né en 1931... en pleine crise (!)
d'un père chômeur,
j'ai vécu dans un climat de colère
mêlée de tendresse.
Cette dure et douce sauvagerie
de mon enfance m'a donné un jour
le goût d'être un radical tendre.
J'ai entendu plusieurs fois des sanglots
étouffés dans la nuit.
Le père et la mère cachaient leur peine
pour assurer nos rires et nos joies.
Arthur revenait de la Dominion
crispé, ahuri, démoli.
Il y avait un je ne sais quoi de primitif chez lui...
cette capacité soudaine de passer
de la violence à la caresse.
Anna, instruite, forte,

régnait vraiment sur la maisonnée.
Je les vois encore tous les deux
commentant longuement l'actualité.
Ce fut notre première école parallèle.
Peu à peu nous avons noué nos mailles
à ce riche écheveau de sagesse populaire.
Une tradition peut-être perdue!

Il en était tout autrement de l'école et de l'église.
C'est là qu'a commencé ma domestication.
J'insiste sur le mot.
Il résume bien les vingt années
d'études qui vont suivre.
Ce que j'ai pu perdre de temps, de vie et de liberté,
dans ces rituels obligés.
Bien sûr, il y a eu des apprentissages
utiles... mais à quel prix d'insignifiance!
Je n'ai aimé que mes délinquances,
les pommes volées, les livres en cachette.
Une autre poésie perdue
dans ce nouvel âge de la permissivité.
Eh oui! c'était plus l'fun au temps des péchés.
Mon petit côté sauvage y avait
un peu son compte.
Je ne suis pas le seul, n'est-ce pas?
Sauvages de la campagne devenus
domestiques à la ville
nous ne nous y sommes jamais habitués.

Mon premier choc remonte à 1949.
Lors d'un concours oratoire,
j'ai fait surgir la colère rentrée
de mon milieu ouvrier.
C'était la grande finale au Gésù.
Asbestos m'avait profondément atteint, scandalisé.
Le jury duplessiste me fait comprendre
que mon engagement et mes positions
ne seront jamais rentables.
Première rencontre du pouvoir domestiqué.

J'identifiais ce pouvoir au nationalisme.
Jéciste, personnaliste, universaliste,
j'allais du côté de Pelletier et Trudeau.
Ils nous parlaient des noirs,
avec des larmes dans les yeux.
J'ai mis bien du temps à faire des liens
entre mes sensibilités sociales
et ma faible conscience politique,
entre le prolétariat et le peuple québécois.
Je riais de Barbeau, Chaput et autres personnages
aussi ambigus que le mien.
Mais n'anticipons pas.
À ce moment-là, il fallait abattre
un certain nationalisme clérico-duplessiste.
J'ai opté pour un renouvellement de l'Église,
encore au centre de la société.

En entrant au grand séminaire
je sens la consigne donnée :
« Celui-là, il faut le ranger ! »
Quatre ans d'attente dans ce couloir terrible.
Imaginez ! De vingt ans à vingt-quatre ans.
Peut-être avais-je besoin de cette intériorité ?
Le professeur de doctrine sociale
n'a jamais pensé nous amener
à Saint-Henri, à quelques pas de là.
Puis, un an de surveillance au collège.
Je devenais l'empêcheur
de pécher ou d'aller à la pêche.

Enfin, 1957, je reviens
dans mon milieu ouvrier.
J'ai recommencé à revivre.
Trois ans de luttes fiévreuses
avec les jeunes chômeurs.
Scandale à l'évêché,
au conseil municipal,
à la commission scolaire.
« Qu'est-ce qui lui prend,

Y va tout de même pas
leur donner des jobs! »
Je renouais avec les colères « privées » du père,
mais cette fois sur la place publique.
Nous étions des fous,
même aux yeux des centrales syndicales.
Peu importe, nous avons continué nos bousculades
jusqu'au parlement.

1960, premières lois
sur le recyclage des chômeurs.
Les gars étaient fiers de cette première victoire.
Je partais aux études,
le coeur un peu trop gonflé.
De ma chrétienté à Paris,
il y a loin. Quel choc!
Je découvre l'athéisme,
le marxisme et les femmes.
C'était trop à la fois.
Une terrible bataille intérieure va s'engager.
Il est plus facile de domestiquer
le sauvage que de libérer
le domestique qu'on porte en soi.
Destin tragique des Québécois.
J'entrais donc dans une révolution personnelle
peu « tranquille ».
Une cellule d'éboueurs communistes
sous ma piaule.
Des amoureux désinhibés
sur les quais de la Seine.
Et puis le dialogue ardu
avec des camarades athées, des vrais!
Inséré dans une équipe internationale,
je sentis ce que signifiait
de ne pas avoir de pays derrière soi.
Mes illusions de petit curé de village
tombaient une à une.
Pour la première fois, j'étais
tout nu, face à moi-même,

sans personnage ni appareil,
absent du nouveau Québec
qui naissait, là-bas, chez nous.
La sauvagerie refit surface.
Mais le vieux continent
m'a appris que la révolte
peut avoir une structure,
une orientation.
De l'Amérique, je gardais
le goût de la société ouverte.
Il ne fallait pas chercher
un système de remplacement.
Jamais plus on ne me remettrait
la tête dans une scolastique.
Dans une idéologie fermée,
dans une morale close.

Je me rappelle ma prière, un soir d'insomnie!
« Seigneur, pourquoi as-tu laissé les tiens
cacher cette extraordinaire liberté
que ton Évangile recèle?
Je ne t'avais jamais perçu comme un Dieu libre
devant les systèmes des hommes.
Le sabbat, les prêtres, Hérode, César,
rien ni personne ne t'ont domestiqué.
Tu as fait passer l'Espérance
par cette brèche de liberté.
Rome n'a pas encore compris.
Sais-tu dans quel pétrin tu nous as mis?
Peut-être nous faut-il toujours
apprendre à nous libérer?
Tu n'en a jamais fait un pur don».
La liberté, elle se prend, elle se gagne,
qu'on soit croyant ou athée.
Mes camarades m'ont révélé
l'Évangile malgré eux.
Je rage en pensant que mon monde religieux
me l'avait aussi bien caché.
Je comprends maintenant

ce petit peuple qui a préféré
une pauvreté libre à une
sécurité d'esclave.
Nous, clercs, nous avons fait
du nôtre, une communauté de domestiques.

À mille lieues du Québec
je vivais donc moi aussi
l'éclatement de la chrétienté.
Je trouvais même des connivences
entre ma foi nouvelle
et le Québec profane à libérer.
Le passage au désert avait été
difficile, chaotique.
On ne choisit pas ses croix.
Revenu au pays, je suis bientôt plongé
dans des grèves «sauvages».
Les travailleurs de Saint-Jérôme
dénonçaient des fermetures d'usines
et une ville fantôme.
Drôle de révolution tranquille
qu'on vantait à Paris.
Le sol de mes pères avait peu bougé,
même si l'échafaudage était changé.
L'État allait-il remplacer l'Église?
Apparente prospérité
que je ne voyais pas à la base sociale.
Mais j'ai senti un vent du Nord,
nouveau quand même.
Depuis quarante ans nous l'avions retenu
aux portes de la ville.
La bourgeoisie locale était aux abois.
La réputation de Saint-Jérôme!
« Vous menacez nos commerces,
vous chassez les investisseurs.»
Je me rendais compte tout à coup
que les prolétaires du milieu
étaient les seuls pas tout à fait domestiqués.

Il est faux et dangereux d'identifier
le prolétaire au pur aliéné.
J'ai découvert de plus fortes servitudes
dans d'autres milieux québécois...
une servilité insoupçonnée,
un mépris des siens,
une admiration des autres,
une démission face à l'avenir collectif,
un esclavage qui médit de la liberté.
Loin de moi la tentation de chercher
l'immaculée conception du prolétariat.
Mais quinze ans d'engagement
m'ont appris les richesses inouïes qu'il cachait.
Il faudra sans doute du temps
pour faire jaillir cette source.
Les militants des années 60
ont été trop impatients et naïfs.
Ce fut mon cas.

Il ne suffit pas d'arroser les fleurs...
Nous avons noyé les racines
et le sous-sol nourricier.
Certains radicaux pressés ont tué
les pousses timides.
Ils nous servaient de dures leçons de pureté.
Où sont-ils aujourd'hui ?
Plusieurs cultivent leur petit jardin intérieur
et ne veulent plus rien savoir.
Ces radicaux sans racines !
Mais j'anticipe sur le présent.

Au milieu des années 60,
les forces ouvrières, syndiquées ou non,
ont fait front commun dans ma ville.
D'elles vient la cote d'alerte
qui a déclenché un certain renouveau.
On craignait la horde
dans la place. Mais non.

On me pardonnera ici
un point de vue plus personnel.
Cinq ans d'action soutenue,
le mouvement de relance amorcé,
j'ai voulu me replier un moment
pour que les nouveaux militants
prennent les devants.
L'histoire ne suit pas les lois de l'animation.
Coup sur coup, je vais être sollicité
pour l'échevinage, la mairie,
la députation provinciale, fédérale.
Je ressentais cette invitation comme un échec.
Vous savez... le cléricalisme !
On ne liquide pas un tel dossier.
Fait curieux : les proches militants
ne me conseillaient pas cet engagement.
D'autres plus lointains me jugeaient rentable.
Ils voulaient « m'utiliser ».
Cette attitude me heurtait profondément.
Je la rencontre encore aujourd'hui.

Le raccourci facile et superficiel
me heurte davantage.
Je me souviens d'un débat public
organisé par des forces de gauche.
C'était en 1967, juste avant la flambée
des mouvements populaires.
Le thème : « L'Église, frein politique ? »
J'étais sidéré par le caractère étroit
des diagnostics,
par le peu de conscience historique,
par l'anticléricalisme aveugle et obsédé,
par les plaidoyers idéologiques abstraits.
Comment les Québécois ordinaires
pouvaient-ils s'y reconnaître ?
Les élections successives vont en témoigner.

Mais ne soyons pas injuste,
les oppositions sont toujours

maladroites au début.
Toujours est-il que nous avons cheminé...
mouvements de base,
réveil syndical, parti québécois.
Cette militance nouvelle provoqua
une résistance massive du statu quo.
Devant nos échecs, nous nous retournons
les uns contre les autres,
socialistes versus nationalistes,
centrales versus centrales,
populistes versus intellectuels,
ouvriers du privé versus professionnels du public.
Étapes nécessaires
avant des consensus plus judicieux?
Faut-il répéter l'histoire de la gauche française?
Les nouvelles échéances du pain et de la pénurie
vont peut-être nous remettre les pieds à terre.
À force de regarder l'ennemi, nous avons fini
par lui ressembler et par oublier l'originalité
de notre propre visée.

Il nous faut une seconde vue des choses.
Elle nous permettra de reconnaître
certains changements invisibles prometteurs
dans le sous-sol québécois,
dans le corps et l'âme du peuple.
Les vieux pouvoirs, malgré leurs succès,
sont impuissants devant la crise montante.
Nous devons préparer les contenus
et les démarches de relève
à même des requêtes aussi concrètes
que l'inflation, la réorganisation du travail,
l'autogestion sociale, etc.
Certains diront: « il ne se passe plus rien,
les oppositions sont esquintées,
le peuple fatigué, les militants décrochés ».
Il y a un envers à chacun des symptômes:
Peut-être plus d'intériorité
dans la crise de subjectivité.

Plus de force et de sagesse
dans ce creux de repli, de réflexion.
Plus d'ouverture aux courants du monde
dans cette attention aux drames d'ailleurs.
Plus de profondeur
dans ce retour aux sources spirituelles.

Le courage têtu de nos pères
nous remonte du coeur pour de nouvelles fécondités.
Nous regardons trop aux longs hivers
et pas assez à nos printemps.
Il s'y cache une violence de vie.
J'appartiens à ce monde spirituel
des vivants éternels,
de l'histoire espérante
envers et contre tout.
La vie est dans nos tripes
pour y rester.
Cette foi retentit sur mon appartenance
au peuple prolétaire d'ici.
Je crois à la lente gestation des libérations historiques.
La qualité des printemps
en dépend.
À droite comme à gauche,
en haut comme en bas,
plusieurs ont démissionné
du long terme, de l'histoire :
« Tout, tout de suite, ou bien on se résigne. »
Cette résignation vaut-elle mieux que l'ancienne ?
Il nous faut de plus fortes
et de plus durables cohérences.
Nos racines sont courtes,
raison de plus pour les cultiver.
Nos espoirs sont énormes,
raison de plus pour bien les fonder.
Je crains les engagements
incapables de longues fidélités.

Au mitan de la vie

Au premier regard, mon propos paraîtra pessimiste. Je crois que les hommes de ma génération le sont effectivement. J'ai voulu débusquer ce qu'eux et moi, nous cachons derrière notre ramée d'expériences «éprouvées»! Car nous avons l'empan large et l'écorce épaisse. Il faut alors une cognée dure pour rejoindre le cœur. Ce n'est pas là, vaine colère de bûcheron. Mon coup de hache se veut libérateur d'une sève intérieure trop longtemps retenue par notre complexe hivernal... toujours en quarantaine. Jeu de mots? Le rapprochement a pourtant sa part de vérité. Mes compagnons d'âge sont-ils irrémédiablement l'image d'un certain Québec?

Je fais le pari d'une verdeur possible qui n'a pas encore bourgeonné. Mais je dois avouer la libération difficile. Les pousses mâles de ma terre m'ont toujours semblé frêles et hésitantes. Elles le sont devenues encore plus devant la force nouvelle de leurs sœurs. Je suis un peu inquiet, je le concède. Beaucoup d'hommes de la quarantaine se sentent assiégés de toute part. Souvent vannés par tant de besognes, ils n'ont pas le temps de s'occuper d'eux-mêmes. D'ailleurs, une certaine pudeur traditionnelle des sentiments les empêche de livrer leur vie intérieure. Essayons de jeter un coup de sonde dans cet état d'âme encore si peu prospectée.

L'HOMME DE 40 ANS

À quarante ans, dit-on, l'adulte compte ses billes.
Il a eu toutes les chances de faire ses preuves.
Les expériences essentielles de la vie ont été tentées:

famille, école, travail et quelques responsabilités sociales.
Jung y voit le tournant le plus important.
Il semble que la femme nous précède encore ici.
Mais le processus serait sensiblement le même.
Je me méfie de ces lois psychologiques ou sociologiques,
même s'il faut bien en tenir compte.
Chaque homme, chaque femme ont une aventure inédite.
Un roman particulier quoi !
Mais n'y a-t-il pas certains scénarios communs ?
Arrêt, crise, évaluation,
relance ou régression,
rond-de-cuir ou foulée nouvelle,
lente asphyxie ou second souffle.
Deuxième carrière chez quelques-uns.
Des conflits se défont ou se refont.
Le démon de midi... un vieux stéréotype éculé ?
Tout a été bouleversé... est-ce si sûr ?
Je connais mieux la dramatique des célibataires ;
elle révèle ce que l'institution mariage cache parfois :
une obsession de la sécurité qui exténue la liberté.
Combien d'hommes et de femmes ont tout sacrifié
à l'obtention de propriétés dévorantes ?
Un riche bungalow, de grosses assurances, un chalet,
et tant d'autres possessions consommantes.
Vient un temps où tout cela perd un peu-beaucoup de son sens.

Le désir de paix confortable s'accommode mal
à cette course folle et fébrile.
Les énergies diminuent,
mais le train de vie commande.
Pourtant, à quoi bon !
Que reste-t-il de valable ?
Le succès professionnel ?
Moins assuré que jamais... comme le statut social.
Les jeunes qui s'en foutent, ont raison.

Les enfants ? Oui, c'est le seul avenir possible.
Cependant, que d'échecs et de frustrations ?
La maternité n'est plus à la mode.
Fraternité... solidarité, meurtre du père.
Ils ne tiennent plus les vieux codes moraux :
« La vie moderne... vous savez ».
Alors comment se fait-il qu'on veuille changer la vie ?
Insatisfaits de l'ancienne et de la nouvelle,
les vingt ans et les quarante ans ont un sort commun.
Anxiété chez les premiers,
désespoir chez les seconds.
On se rencontre sans se comprendre :
— « Vous êtes des bourgeois aveugles et stupides ! »
— « Une liberté d'enfants gâtés à nos frais. »
Crise d'adolescence, de génération... de civilisation.
Un phénomène « normal ».

TROP DE CRISES SUR SON DOS

Mais ça fait bien des crises à la fois.
La cité et les citadins se portent très mal.
Un névrosé sur trois, disent les statistiques.
Les prophètes de malheur surgissent de partout,
de la rue comme des bureaux d'études.
Inflation, pollution... des tordeuses de toute sorte.
Grèves, scandales et procès en série.
On mange de la vache enragée
à la boucherie, sur les chantiers
à l'école, au parlement... et ailleurs.
La piastre ne vaut plus grand-chose.
Voilà une crise économique à l'horizon.
L'abondance est finie,
l'avenir bloqué.
Les crises normales s'en ressentent,
du cégépien à l'homme de quarante ans.
Prévoir, planifier... quoi ?
Plutôt jouir à fond des possibilités du *moment*,
l'État se chargera du reste.

Privilège de notre riche société.
Les média parlent de politique,
le citoyen, de vacances.
Malgré tout, ça fonctionne quand même.
Il y a de la place pour tout le monde
dans cette société libre, ouverte, permissive.
Pour les conservateurs, les réformistes et les révolutionnaires,
pour les vieux mythes, la technologie et la nouvelle culture.
Une incohérence dynamique.
Un chaos fécond dans une organisation programmée.
Pourtant l'individu ne tient pas le coup
qu'il soit homme ou femme,
jeune ou adulte.
Il y a encore des enfants heureux...
mais c'est une race en train de s'éteindre.
« Aveuglement, inconscience, démission »,
diront certains.
Au contraire, le citadin actuel est hyper-conscientisé
par tant de mauvaises nouvelles
sur tous les écrans et les ondes.
Alors, il fuit... dans divers pots.
Il planifie ce qui lui reste : ses loisirs... et encore !
Je soupçonne qu'il y a un peu de tout cela
dans la conscience de ma génération de 40 ans.

UNE RÉVOLTE SOURDE

Les propos se font de plus en plus divergents.
« *Life begins at forty* »
Ce mythe américain tient-il encore ?
« **À quarante ans, on se sait malheureux** »
Péguy a-t-il raison ?
« À cet âge, les célibataires vivent à deux,
les gens mariés en célibataires » (Oscar Wilde).
Passe-t-on du bungalow au bachelor?

La banlieue n'est plus à la mode.
Chez les jeunes, on préfère à la fois
le centre-ville et la campagne.
Mais tous ont le coeur au départ
dans les îles lointaines, comme dit la Bible.
Qu'arrive-t-il à celui qui a cultivé ses racines
pour une vieillesse paisible et assurée?
Préparer son avenir, celui des siens,
pendant vingt ans
Et se retrouver en pleine instabilité,
pas plus avancé... au milieu de la route!
Coïncé, je devrais dire,
coïncé de toute part
entre une jeunesse incompréhensible
et une vieillesse impossible.
«Quand j'étais jeune
mon père disait: t'as pas raison.
Aujourd'hui, mes enfants répètent:
T'as pas raison.
Je n'ai jamais eu raison».
La révolte est sourde, mais non moins violente.
Nous avons à porter les charges et les frais
d'une scolarité qui n'en finit plus
et de retraités de plus en plus nombreux...
bref, toute la société sur nos épaules.
Jeunes et vieux sont insatisfaits...
et nous donc!
La grosse part du travail et des impôts.
Nous ne disons rien...
Nous n'avons pas le temps.
Notre lot: la crise cardiaque.
Un véritable cercle vicieux:
de grosses assurances, du boulot en conséquence
et du *stress* à revendre.
L'amont et l'aval nous siphonnent,
nous les cochons de payants,
les tâcherons de la croissance et du bien-être,
les coupables du progrès,
 les responsables de la cité monstrueuse,

les producteurs de cette vile consommation
qu'on rejette et réclame en même temps.
« Imposteurs, voilà le monde que vous avez fait. »
« Vous votez sécurité pour vos seuls intérêts. »
Quels intérêts ? Celui de nos enfants ?
Celui de la veuve de demain ?
Voilà qu'on nous reproche même la **travaillite**.
Nous pensions trouver une dernière dignité
dans les sueurs.
Peine perdue ! Le fer se tourne contre nous.
Nous ne saurions pas vivre !

LE DOUTE

Plusieurs parmi nous ont intériorisé
ce procès des autres
au point de perdre confiance en soi.
Le Nord-Américain agressif, sûr de lui,
n'existe plus. Le voilà incertain et fragile.
Incapable même d'exprimer sa révolte
au milieu de tant de violences qui l'accablent.
Mais sans tambour, la réaction s'amorce :
« À l'ordre, au travail, citoyens.
Finies les folies.
Nous, de la majorité silencieuse et du pouvoir,
reprenons les choses en mains. »
Réaction publique... politique.
Mais le terrain quotidien est miné.
L'homme de quarante ans doute.
Son expérience n'a plus grand poids.
Les jeunes ont peut-être raison :
pourquoi se crever à travailler ?
Le procès se fait intérieur
Quel passé faut-il défendre ?
Quel futur peut-on anticiper ?
Vivre, *that's all*.
Peu importe les comment, les pourquoi.

Mais le déchirement demeure.
À la table familiale,
l'adulte continue de faire la morale.
Mais sa vie dément son propos.
Il hésite entre l'ordre et la liberté,
sans sagesse ni philosophie
pour fonder des choix judicieux.
Les pourquoi des jeunes restent sans réponse.
Peu à peu, il adopte leurs doutes, leurs questions.
En religion, en morale, en politique.
Tout le monde est en recherche.

L'HOMME MOYEN

Les modes du moment servent de repères communs.
C'est là une complicité jamais avouée.
Statistique des moyennes.
Psychologie de l'homme moyen.
La même grammaire : « Sam'prend une 50 ! »
« Tout le monde le fait... »
« C'est ce qui fait que les gars sont satisfaits. »
On peste contre les commerciaux,
tout en s'alimentant à cette mare.
Mais ce qu'on n'avoue pas
c'est qu'on a désappris à faire jaillir
la source de sa propre vie.
On ne sait que refiltrer sans cesse
la mare dans le chlore.
Faudra-t-il réinventer les puits ?
Où sont les sourciers, les gîtes et les niches ?
C'est trop compliqué. Vaut mieux s'accommoder
aux succédanés et aux substituts.
Pourquoi ne pas plutôt composer
avec les maladies de la civilisation ?
Il ne reste plus grand temps
pour jouir de la vie...
quand on a quarante ans fatigués.

Le frère d'ailleurs, de demain... connais pas.
L'Amérique a rempli son grenier,
qu'elle se donne un peu de bon temps.
Après tout, elle est la seule à pouvoir le faire.
Qui sait, l'humanité... la planète...
c'est peut-être fini?
De toute façon, à long terme
on est tous morts.
Mais la crise qui s'annonce?
la civilisation qui meurt?
«Ah oui, je plains les jeunes...»

PAS UN SOMMET, MAIS UN ENTRE-DEUX

Moi, j'ai fait ma part,
qu'on me laisse tranquille.
Autrefois on vivait pour travailler,
pour laisser un héritage,
un héritage qui reliait l'avenir au passé.
Il n'y avait pas d'économie du présent.
On ne savait pas être heureux.
Même le moment de joie
avait un je ne sais quoi de coupable.
«Tout et tout de suite!»
disent les enfants du siècle.
Deux mondes si loin l'un de l'autre.
Les vieux peuvent s'en aller doucement.
Mais nous... entre les deux.
Quarante ans, un sommet!
Drôle de sommet!
Plutôt un étrange entre-deux.
Bien intégré à une société dont on ne veut plus,
prisonnier de toutes les conformités,
traité de complice,
accablé de reproches, l'homme de la quarantaine
est le dernier qu'on plaint.
Riche ou chômeur, il est le responsable.

Ahuri, déçu,
tracassé, peu reconnu,
le mâle de la maturité
n'a plus de statut.
Même sa compagne
lui reproche sa fragilité.
Pourtant, rien n'y paraît.
Il semble stable et fort.
Mais attention,
la crise latente a la violence
d'un refoulement.
En éclatant, elle opère peut-être
la dernière brisure de cette société.
À moins qu'elle déclenche
une résistance passive,
un laisser-faire déguisé.
L'homme du mitan de la vie
est dans le jeu des générations
un peu comme la classe moyenne
dans la société.
La zone tampon.
L'écran de la pauvreté et de la richesse.
Le moyen de moyenner!
La rivière qu'on peut traverser à gué
parce qu'elle a deux pieds de profondeur
en moyenne!
Un peu comme la société.
On lui demande tout... et
on l'accuse de tous les torts.
Après le patriarcat, après la matriarcat,
après les mythes de l'enfance, puis de la jeunesse,
c'est l'homme du mitan qui sert de repère.
Il symbolise le paradoxe
de la sécurité aseptisée
et de la crise-type.
Pauvre lui, il se vide
par les deux bouts.
Une sorte de coude dans la tuyauterie sociale.

TRAGI-COMÉDIE

Quel portrait pessimiste et simpliste!
N'est-ce pas plutôt le plus bel âge de la vie?
À quarante ans, on a les deux pieds à terre.
On est bien dans sa peau.
On sait vivre... d'une façon réaliste...
avec ses limites, ses acquis, ses possibilités.
Une expérience assez longue,
un avenir assez spacieux.
Enracinement et ouverture,
et en même temps un présent
dense, riche, à pleine mesure.
Comment tout réduire à l'alternative:
crise ou médiocrité?
Le deuxième souffle n'est pas un rêve.
Plusieurs le vivent passionnément.
Plusieurs? La majorité?
Plutôt un saut qualitatif des personnalités fortes.
C'est la pointe de l'iceberg.
En dessous, une dramatique
qu'on n'ignore pas impunément.
Même les comédies se déploient
sur un fond de tragédie.
Les comiques eux-mêmes
en savent quelque chose dans leur vie.
Bien des mâles savent jouer.
Combien y trouvent une issue, une fuite?
Autre est avouer et vivre son drame.
Mais ne soyons pas injuste.
La société et l'homme conscients
ne maîtrisent que la pulpe.
Tout le reste du fruit appartient à l'inconscient.
Alors pourquoi fouiller ce mystère opaque?
Le mitan serait-il plus révélateur que les autres âges?
— « Vous faites erreur, l'homme de quarante ans
est celui qui cède le moins à la crise subjective.
Il a trop à faire. »
— « Et si c'était l'originalité de son drame?

Fuir... se fuir dans le travail,
les possessions... les choses
ou même la maîtresse.»
— «Allons donc, il est trop égolâtre
pour être inconscient de lui-même.»
— «Ce qui peut bien coïncider avec
la pauvreté intérieure du moi.
L'abondance des attributs
cache la disette du substantif.
S'aimer tant
et être si peu soi-même.
Voilà peut-être le fond du sac.»
— «Mais c'est une phase normale.
L'adolescent se cherche.
L'adulte se confronte.
Le vieillard se retrouve.»
— «Cette synthèse est trop simple.
Elle exténue le paradoxe du mitan.
La contradiction humaine qu'il révèle,
est peut-être le vrai visage
du drame social actuel:
une société très consciente
en quête de conscience,
d'âme et de coeur.»

VRAIS ET FAUX DIAGNOSTICS

L'individu comme la société
confondent ressources et avoirs
genres de vie et niveaux de vie.
Ils craignent moins le manque d'être
que la pénurie de la pâte première.
Et le levain? Le sel?
Une société riche en blé
doit ajouter des vitamines
à son horrible pain-mastic.
Serait-ce la parabole

d'une certaine expérience de la quarantaine?
Vitamine ou aspirine,
la solution est du même ordre
en attendant la gelée royale!
À quarante ans, la pâte est lourde;
il faut un levain plus fort
et de meilleure qualité,
une vie intérieure plus profonde,
une seconde libération
peut-être plus difficile que celle de l'adolescence.
Le défi est moins perceptible,
le débat plus sourd.
Beaucoup ajoutent à la pâte
ou s'empâtent.
Ils refusent de chercher dans le levain
l'élan et le dépassement.
On ne résoud pas l'énigme du mitan
sans consentir à une difficile libération:
première condition d'un nouveau départ.
Car il ne s'agit pas de continuer
ou de recommencer, mais de re-nouveler.
Bien sûr, un tas de choses demeure:
des liens, une profession, un milieu, etc.
Il s'agit plutôt d'un retournement du coeur.
Mais à cet âge, le coeur est moins souple!
La maladie frappe à cet endroit privilégié.
Comment ne pas y voir la symbolique
de l'aventure spirituelle en quarantaine?
Le coeur ne tient plus, et de bien des façons.
Qui sait en reconnaître les sources spirituelles?
On insiste beaucoup sur le conditionnement physique;
le corps retrouve sa dignité.
A-t-on les mêmes soins pour l'âme?
Le matérialisme se déplace,
sans perdre sa place.
L'âme a été abandonnée
bien avant la crise cardiaque.
Mais on ne s'inquiétait pas des bleus à l'âme.

Ce repère de la crise en agacera plusieurs.
Nous craignons davantage les mécanismes aveugles
de l'habitude ou de l'auto-satisfaction.
L'âme niche dans le creux du coeur.
Pour la trouver, il faut se désencombrer,
se libérer de bien des servitudes accumulées.
Rares sont les hommes libres.
On le sait particulièrement à quarante ans.
Mais au fait, bien peu d'hommes l'avouent.
Leur horizon s'est rétréci imperceptiblement.
Leur vol se fait en rase-motte.
Leur sang s'est épaissi
dans tous les sens du terme.
Même le bon sens.
Que de femmes déçues devant leur homme
lourdement installé dans sa routine!

UN SECOND SOUFFLE

Car il s'agit bien ici du mâle,
du mâle contemporain au mitan de la vie.
Ne parlons pas de ceux qui rejouent
leurs vingt ans
avec les scénarios d'aujourd'hui.
Nous restons dans la bonne moyenne:
l'homme affairé, installé, habitué.
Nous sondons son sous-sol si bien caché
à lui-même et aux autres.
Un sous-sol difficile à prospecter
à libérer, à re-féconder.
Pas un sous-sol de printemps ou d'automne, mais d'été.
L'été de la vie est souvent humide et lourd.
L'abondant feuillu cache les rares sources.
Bien sûr, on espère de fortes moissons.
Mais chez nous, c'est si court.
Autre parabole du mitan d'ici.

Quelques années pour rentabiliser
les longues études et la prochaine retraite,
sans compter une coûteuse paternité.
C'est donc surchauffe en tout.
Le mâle de cet âge attend plus de sympathie.
Il rencontre plutôt le procès des autres.
Il se tourne alors sur lui-même
et s'en prend à sa propre vie.
L'alternative se simplifie :
ou la médiocrité, le ralenti
ou le nouveau risque héroïque
sous l'apparence de la bonne moyenne,
de la juste mesure réaliste.
Eh oui, il lui faut concilier
ce visage rassurant
et un coeur en guerre.
Je soupçonne bien des révoltes intérieures
stoïquement camouflées
en deçà des compensations décevantes :
l'alcool, les « femmes », le clan masculin
à la taverne, au golf ou à la chasse.
On est raisonnable, c'est de commande.
On doit masquer, maquiller ses petites folies.
Mais « quelle chienne de vie », murmurent certains.
Le mâle d'ici, comme ses pères,
reste encore coi sur ces questions,
alors que sa compagne explose
et clame sa volonté de libération.
Ce phénomène inattendu
le désarçonne encore davantage.
Le voilà arriéré en tout.
Et le procès intérieur recommence,
mais l'âme se sent vide.
Le puits est à sec.
On n'a pas entretenu ses sources.
Et la boue s'est accumulée.
Comment rétablir le courant,
irriguer le terrain,
faire jaillir la source à nouveau,

sans investir en profondeur?
Mais voilà, ce creusage du coeur effraie.
Curetage psychologique malsain.
Le proverbe arabe a sa part de vérité:
« Les soucis nourrissent la femme
et tuent l'homme. »
Surtout le souci des impondérables du coeur.
Le mâle n'aime pas ce genre de souffrance.
Il troque plutôt le sujet pour l'objet,
l'être pour la chose.
La psychologie du play-boy a bien des variantes
moins visibles, moins offensantes
mais souvent du même ordre.
Le Nord-Américain se dévalue comme son dollar.
Il vit une passe difficile et inédite.
Le goût des conquêtes est disparu.
Hier dionysien, aujourd'hui apollinien,
mais il ne se sent pas bien dans cette peau.
Sans traditions amoureuses
Sans expérience d'intériorité,
déconnecté de la nature et de la culture,
peu intéressé à la mystique,
défiant devant les vieilles sagesses,
obsédé par les avoirs
il ne sait plus le chemin.
L'univers instrumental de la technique
le séduit encore,
et fonde son quotidien et sa politique.
Mais le doute intérieur persiste
et empoisonne sa vie privée.
Il se sent loin de ses grands adolescents,
de sa femme, de lui-même.
Le rêve ou la réalité de sa réussite
se relativise.
Après la phase active du travail,
il sera en face de quoi?
Une épargne, une accumulation dévaluées;
l'espèce sonnante et trébuchante
perd de sa valeur d'année en année.

L'inflation gonfle la baloune, l'espace vide.
Et si tout éclatait, comme au temps de son père,
alors, qu'est-ce qui restera
de tout ce morfondage,
de tout ce qui mobilise sa fierté?
Pourquoi ne pas réagir dès maintenant?
Apprendre à vivre.
Retrouver son âme et son coeur.
Il ne fera pas l'économie
d'une vie intérieure plus dense,
plus lucide, plus libre.
Comme le coureur du stade,
il devra chercher au fond de ses tripes
le second souffle décisif.
Celui-ci dépend moins
des muscles et des nerfs
que de la force d'âme.
Il est plus spirituel que le premier,
et surtout plus libérateur.
À quarante ans on devient un homme nouveau
ou un croulant.
Notre société a-t-elle cet âge?

ATTENTION AUX RETOMBÉES

En tout cas, c'est un mirage
que ces apparences de croisière
chez l'homme bien lancé dans la vie,
sûr de lui, de son expérience.
Les fidélités ne sont jamais faciles.
Elles exigent une capacité de renouvellement.
Combien l'ont compris?
L'infidélité, une autre crise
dont on parle depuis toujours.
Dans le mariage, elle se résorbe parfois
avec des prétextes bien peu honorables.
La jeune maîtresse est bien exigeante!
On revient aux vieilles habitudes

qui tantôt étaient apparues des servitudes.
La révolte n'a pas duré longtemps.
On se retrouve plus que jamais dépendant.
Il n'y a pas de repos du guerrier
parce qu'il n'y a plus beaucoup de guerriers
à cet âge des routines établies.
On me dira qu'aujourd'hui
les ruptures sont plus fréquentes
et la liberté plus entreprenante.
La question-clé se loge ailleurs :
quelque part au fond du coeur.
Sait-on encore aimer
autant que raisonner ?
Des fidélités sans passion,
Des infidélités sans conviction.
Des raccords dans la lassitude.
Des ruptures par nécessité.
La longitude plus que l'altitude.
Le confort plus que la liberté.
On n'a pas à craindre de violentes éruptions,
mais plutôt d'imperceptibles érosions.
Les femmes, l'argent, le pouvoir ?
C'est rarement l'homme des grandes passions.
Il a assoupi ses vouloirs.
Faut pas compter sur lui pour la révolution.
Bien sûr, il y a des exceptions
à côté de tant de sujétions.

UN RÉALISME CYNIQUE

Je charge ici à dessein
pour percer la forte carapace
de mes compagnons de destin
capables de si bien sauver la face.
Au fond, peut-être, je me défends
des mêmes tentations
de pareilles illusions

que je partage avec ceux de quarante ans.
Une leçon que j'adresse à moi-même
en faisant le tour du problème.
Je sais les pièges des généralisations.
Elles épongent les inédits de la vie.
Elles se substituent aux décisions.
Elles récupèrent tous les bris.
Elles servent tant de justifications.
On est si doux pour sa petite personne.
On a alors besoin des autres pour mieux se juger.
Mais le détour ainsi emprunté
permet d'écarter ce qui, en soi, détonne.
Est-ce moi que je décris ?
Est-ce mon propre lit ?
Mais non, ce n'est pas mon cas
Je proteste avec fracas.
Allons donc, moi, j'ai le goût de vivre.
J'ai encore des élans pleins de jeunesse.
Je suis capable de fortes tendresses.
Il me reste bien des armes à fourbir.
J'aime mon travail passionnément.
J'ai du coeur à revendre.
Je suis bon pour longtemps.
J'ai prouvé ma capacité d'en prendre.
Qu'est-ce que ces tripotements de soi-même,
ces conférences intérieures de femmes,
ces crises d'adolescents blêmes
ces regrets de vieillards sans flamme ?
Mais qu'est-ce que vous avez tous
à vous analyser le nombril ?
Vous n'aurez donc jamais fini
de céder à toutes ces frousses.
Vous projetez vos peurs sur les autres
en leur cherchant quelques vilaines fautes ?
Un homme dans la force d'âge
ne peut prendre au sérieux ces babillages.
Mais qu'est-ce que ce monde de fous
pogné, survolté, angoissé,
emprisonné dans d'imaginaires licous

torturé, douané, « concrissé » ?
Vous cherchez anguille sous roche
avec un coeur tout croche.
Selon vous, tout homme bien portant
est donc un malade qui s'ignore.
Nous préférons la boutade de Deschamps
qui n'a rien de bien retors !
Mieux vaut être riche et en santé
que pauvre, malade et déprimé.
Vous en voulez à notre simplicité,
à notre refus d'être compliqués.
Si la société continue
c'est par nos efforts assidus.
On n'a pas le temps de se tâter les fesses
pour y chercher une autre faiblesse.

PLUTÔT UN PUITS QU'UN TORRENT

Cette protestation est trop violente,
malgré sa part de vérité,
pour ne pas laisser percer
une certaine autodéfense latente.
Nous restons en plein procès
après avoir entendu tous ces apprêts
et fait le tour de la question :
situations, illusions, intentions.
Au bilan, voilà un homme plein de ressources
que la société siphonne à forte dose.
Un homme incapable d'arrêter sa course.
Tellement d'automatismes empêchent la pause.
Les griseries se transmuent en grisailles,
les convictions en scepticisme,
et tout cela au nom d'un réalisme
voué par les autres aux ferrailles.
MI-TEMPS, MI-LIEU, MI-CHEMIN,
no man's land entre hier et demain.
On réclame tout, tout de lui,

puis on conteste son fragile aujourd'hui.
Et il hésite, perplexe, irrité.
Faut-il rompre ou continuer?
Renouvellement, dépassement, mais comment?
Le saut qualitatif viendra du coeur.
Ce n'est plus l'âge des grands torrents,
mais celui, plus fécond, des nappes intérieures.
Comme la société, cet homme des structures
doit redécouvrir l'économie de son terreau
et se débarrasser de certaines armatures
pour libérer le riche lit de son eau.
Il est inutile d'épurer ou de chlorifier,
d'ajouter ou encore de corriger.
Il lui faut creuser le tréfonds de son être
pour réinventer son propre tirant d'eau.
Impossible sans sacrifier de son bien-être.
Même un certain désert peut être beau
quand on sait et les sources et les puits.
Jusqu'à quarante ans on a vécu en bosse.
Après, c'est dans les creux que jaillit la vie.
Bien sûr, on rencontrera le mal jusqu'à l'os.
Mais tout dépendra de la moelle intérieure
qui empêchera la tête de céder aux rancoeurs.
Il n'y a pas de crise cardiaque soudaine
chez ceux dont la fibre du coeur
a été patiemment maintenue souveraine.
Après avoir appris à gagner son pain,
il faut retrouver son âme qui a faim.
Voilà un enjeu du mitan de la vie
que connaissent beaucoup d'hommes d'ici.

• En aval, les amants du troisième âge

D'entrée de jeu, je me reporte d'abord à deux vieux amoureux que j'ai bien connus. Anna et Arthur, mes parents, mes géniteurs. Pourquoi les situer en aval plutôt qu'en amont? Parce qu'ils m'ont d'abord ouvert des horizons. Bien sûr, mes ascendants ont donné une figure vivante, une histoire à mon passé. Mais avant tout, ils anticipèrent certains dépassements que je dois envisager aujourd'hui... demain. Mais laissons parler cette expérience qui rejoint celle de bien d'autres personnes âgées autour de nous.

À la suite d'une grave maladie, je suis retourné au foyer paternel pour une longue convalescence. À vrai dire, depuis vingt ans je n'avais pas eu de contact prolongé avec les miens. J'allais les redécouvrir avec un regard d'adulte à la fois plus lucide et plus compréhensif. C'était deux ans avant leur mort. Quelles leçons de vie ont-ils pu m'apporter uniquement par leur façon d'être! J'ai vu deux êtres «raccordés», comme dit si bien F.-A. Savard. Deux êtres qui s'étaient acceptés à fond, après s'être distancés et retrouvés tant de fois.

Un peu à l'encontre d'un romantisme toujours à la mode qui ne voit de bonheur et de beauté que dans les commencements de l'amour, Anna et Arthur ont vécu, avec les ans, une extraordinaire montée de sentiment mutuel. Y a-t-il là une sagesse à rebours de nos sensibilités modernes peu enclines à l'épreuve du temps? Pourtant cette aventure à long terme nous amène à une profondeur d'humanité que tant de contemporains cherchent désespérément. Souvent sur de fausses pistes ou dans des entreprises artificielles. Je me demande si nous n'avons pas à redécouvrir la pertinence de ces humbles et féconds chemins d'hommes que nos aînés ont su défricher avec ces mains espérantes et patientes si rares aujourd'hui. Peut-être avons-nous plus besoin de ces témoins qu'eux de nous? Je voudrais le chanter avec leur propre poésie.

LES AMANTS DU TROISIÈME ÂGE

Il y a les fleurs annuelles et les vivaces.
Les premières ne durent qu'un moment.
Les secondes sont d'une tout autre race.
Elles résistent à l'hiver comme d'éternels printemps.

Dans mon pays aux étés si courts,
Certains cultivent d'éphémères amours.
Mais j'en connais des quatre saisons,
Qui ont cueilli cinquante moissons.

Des amours qui n'ont plus d'âge.
Des fiançailles comme au premier jour.
Des tendres passions sans retour.
Des fidélités aussi folles que sages.

Ce qu'ils sont beaux les vieux amoureux,
Quand ils nous révèlent leur aventure.
Je vois tant d'humanité dans leurs yeux,
En écoutant le récit de ces coeurs mûrs.

Ils ont pris au sérieux leur serment.
Ils ont connu toutes les crises des amants.
Mais dans la peine comme dans la joie,
Ils se retrouvaient au creux de la même foi.

Confiance et patience, tendresse et noblesse,
Venaient à bout des plus dures épreuves.
Ils savaient, eux, comment faire peau neuve.
Ni curés, ni malins ne surent leurs ivresses.

Vivant d'une riche et profonde harmonie,
Ils ont pu soutenir de fortes dissonances.

Un geste, un regard, tout était compris.
Beauté et finesse d'une longue romance!

Quand on a entendu ces violons si bien accordés,
Quand on a lu ces poèmes si bien écrits,
Quand on a vu ces mains bellement nouées,
Quand on a connu ces amants d'une vie,

On se demande pourquoi la société
Tient tant à les mettre hors circuit,
Comment réduire au statut d'assistés,
Ceux qui ont vraiment assumé leur vie?

Ils ont tant à nous apprendre
Ces amants du troisième âge.
Dans un monde froid à pierre fendre,
Leur humaine chaleur est vivant héritage.

Dites-moi, vous qui avez perdu la trace
Des valeurs, des biens, des affections durables,
Croyez-vous encore qu'il n'y a plus de place
Pour ces témoins heureux de l'impérissable?

Ces poètes de nos rêves d'enfants.
Ces veilleurs à l'affût de tous nos élans.
Ces saints de la noble vie quotidienne.
Ces «espérants» au milieu de nos déveines.

Comme le vieux sapin de la maison paternelle,
Vous avez un je ne sais quoi d'éternel.
Votre mémoire nous rend à l'histoire.
Nous avons besoin de vous, compagnons du soir.

● En amont, l'enfant nous réapprend à vivre

Nous cherchons de plus en plus des solutions pour adultes. Et dans nos débats affectifs et sociaux, l'enfant est souvent absent. Peut-être n'osons-nous pas avouer que tout part ici d'une philosophie de la vie instantanée, sans amont et sans aval? L'enfant et le vieillard sont repoussés à la limite de nos obsessions de confort et de nos subjectivités enroulées sur elles-mêmes. Un indice, entre plusieurs, d'un mal-à-vivre, d'une crise profonde, d'une cassure sociale inédite... d'une errance du cœur. Ne sautons pas trop vite aux appels moraux de l'ordre à restaurer. Le mouvement récent de remoralisation sociale propose parfois des refuges sécuristes, des solutions autoritaires qui télescopent le difficile cheminement d'une conscience plus libre et auto-responsable.

Je crois davantage au creusage patient et intelligent de l'expérience que l'on porte. À la condition, évidemment, d'aller au bout de sa signification, de sa portée. Les théories et les techniques les plus savantes — et Dieu sait s'il y en a sur le marché — ne se substitueront jamais à l'intelligence quotidienne, assidue, opiniâtre d'un vécu toujours original. Chez nous particulièrement, nous vivons de technologies et de produits finis, conçus et réalisés ailleurs. Nous transposons cet esprit du tout fait dans nos façons de penser et de vivre. Il nous faut réapprendre la GENÈSE des choses, des êtres, de la vie et des institutions.

Or, je crois que la dynamique de l'enfant est grosse de toute une pédagogie sociale qui nous fait défaut. Encore ici, je renverse le processus comme dans le cas des vieillards. Il ne s'agit pas seulement de faire une meilleure place à l'enfant dans notre vie réelle, mais aussi de réapprendre la vie avec eux. Les sciences humaines, d'ailleurs, nous signalent la force libérante de cette remontée à partir de l'enfant qui habite nos racines d'adulte. C'est la première genèse à maîtriser pour savoir construire un monde plus humain.

UN ENFANT

Je la vois encore sous le gros pin qui jetait une ombre de paix en ce dimanche brûlant de juillet.

Elle avait six ans. Un petit air moqueur et enjoué. Ses yeux brasillaient de plein ciel. Et quelle grâce dans sa danse folle et légère autour de l'arbre protecteur! Y a-t-il quelque chose de plus beau au monde que cette hymne à la vie chantée par un enfant? Ce poème vivant qui d'un geste, d'un mot, d'un regard vous libère le cœur. Sa cabriole la plus insignifiante a toujours de l'âme. Dommage que nous ayons désappris si vite à danser notre vie, à la faire jaillir de source.

Soudain la petite s'arrête et pose sa fragile menotte sur l'écorce rêche du pin. Les paupières se plissent. L'œil se fixe. Je sens cette tendresse se muer en inquiétude, s'agiter en pressentiment. Catherine lance un cri de détresse. Un cri violent, sauvage, terrifié. Jamais je n'oublierai cette clameur suivie de sanglots irrépressibles. Pendant deux heures, la crise n'aura de relâche. Catherine est inconsolable et moi, totalement démuni.

Catherine venait de voir une monitrice sauter dans les bras de ses parents et de ses frères et sœurs. Un geste bien naturel. Pourquoi ce traumatisme? La petite a tout à coup compris ce qu'elle avait vaguement senti au cours de la semaine. Son père et sa mère étaient venus la conduire à notre colonie d'orphelins. En aparté, ils avaient dit à la religieuse leur situation précaire: un divorce à l'horizon. Chacun des deux paraissait pressé de liquider toute trace du passé. Même l'enfant de leur chair. Oh, les choses n'étaient pas si claires... assez bien enrobées d'empêchements logiques et pratiques. Tous les deux devaient refaire leur vie... se reposer après cette séparation difficile. Avec Catherine, on risquait de ne pas avoir l'esprit assez libéré. Toute l'opération de vidange a duré moins d'une heure. La religieuse éberluée les a laissés partir sans mot dire. Il ne lui restait plus qu'à accueillir l'enfant abandonné. Je me rappelle ses remarques lourdes de tristesse.

«Autrefois, ils se chicanaient la garde des enfants. Aujourd'hui chacun des deux veut s'en débarrasser. Il n'y a de solutions que pour les adultes. Sur demande ou à la Cour. L'enfant lui n'a pas pareil recours. Et dire qu'hier encore, on nous traitait de bêtes inhumaines avec notre morale quétaine. Depuis la grande émancipation (!) je n'ai jamais vu les hommes d'ici aussi malheureux. Ils prétendent que l'enfer n'existe pas. Mais comment peuvent-ils nier celui qu'ils se sont créé eux-mêmes avec de pseudo-libertés irresponsables. Les voilà en quête de ces mêmes pensionnats qu'ils maudissaient hier. Quel monde de fous! *À bien y penser, il y a peu de différence entre les orphelins du Vietnam et les enfants abandonnés de notre prétendu monde libre*. Quel Québec indépendant vont-ils faire après avoir saccagé les liens humains les plus profonds? Ils associent ces ruptures à la révolution. Pardonnez-moi, mais j'ai le goût de leur dire merde».

Je suis resté là pantois devant cette vieille religieuse qui me semblait rassembler en un seul cri le désespoir de ses soixante enfants adoptifs.

Pourtant, elle était si douce, si patiente avec eux. Il y avait là quelque chose de la colère de Dieu. J'étais loin de Péguy et de son enfant qui s'endort en faisant une prière de rêve. Mais aujourd'hui, cette petite Catherine abandonnée que je n'arrive pas à consoler, me secoue jusqu'au plus profond de mon être.

Moi qui souffre tant de ne pas avoir d'enfant. J'essaie de prolonger mon futur par l'écriture. J'y cherche peut-être un substitut pour m'inscrire dans le fil des générations. Mais c'est un bien pâle succédané. Rien ne remplace cet échange soutenu avec des êtres chers. Rien n'a de valeur comme cette expérience de vie qu'on transmet quotidiennement à ceux de sa chair. Malgré toutes les ruptures, une trame se tisse, qui va sustenter l'avenir et le marquer d'une certaine manière. Mon métier d'éducateur est souvent frustrant. Les êtres ne font que passer dans ma vie. Je ne veux pas décrier cette vocation que j'ai choisie. À quarante ans, j'en sais davantage le prix. Tel ce témoignage qui résume l'expérience extraordinaire d'une vraie paternité.

« Quand un jour nous avons pris la décision de faire des enfants, nous ne savions pas tout à fait ce que nous allions faire. Une vague de joie et d'espérance confuses déferlait sur nos amours. Nous allions voir grandir, du premier commencement jusqu'à l'autre bout de la vie, nous allions voir grandir des filles et des garçons. Nous allions voir s'ouvrir des visages qui nous ressembleraient. Enfin, notre amour éclaté, nous allions multiplier notre nom, élargir notre ensemble.

Et nous les avons faits. Ils grandissent et leur visage nous ressemble. Mais ils ne sont pas nous. Qui seront-ils ? Cette question s'installe au cœur de nos racines. La réponse nous appartient et nous échappe à la fois. Qui serez-vous?

Vous bougez tellement. Vous tirez si fort sur nos patiences. Vous nous remuez jusqu'aux tripes au moindre signe d'intelligence. Avec la plus naïve intransigeance, vous attendez une cohérence, une douceur, une fidélité à peine échafaudées. Et vous appelez, au jour le jour, notre amour à se clarifier. Vous nous changez de fond en comble, comme la révolution change un pays. *Est-ce nous qui vous avons faits ou est-ce vous qui nous faites?*

Notre maison rapetisse à mesure que vous apprenez à courir, à jouer, à construire des châteaux au beau milieu du salon. Vous dissipez l'argent à mesure qu'il rentre. À peine capables de tenir une fourchette, vous critiquez l'art culinaire. Vos cauchemars agitent notre sommeil. Nos amis passent au crible de vos commentaires. Vos oreilles s'ouvrent sur les rumeurs étrangères et vos questions nous étonnent.

Seconde après seconde, vous inventez la tendresse. *Vous décalez* la dimension du temps. Vous *changez l'aiguillage* des choses importantes. Vous nous faites payer chaque trahison. *Vos regards* jugent nos humeurs. Vous mettez à l'épreuve ce que nous croyions être des convictions. Hauts comme trois pommes, avec une audace impitoyable, vous soulignez nos erreurs. Un «nounours» à la main, vous nous flanquez à la porte de nous-mêmes et vous nous lancez dans les changements du monde. Car, vous êtes derrière nous, quand nous prenons position sur le présent du monde et sur l'avenir. *C'est vous qui nous faites homme et femme de la tête aux chevilles*.

Puis vient ce temps où vous fermez la porte à nos influences. Et vous avez raison. Vous n'êtes pas rivés à nos racines. Nous n'avons pas voulu souder votre vie à la nôtre. Tout de même, au fil des heures, sans trop le savoir, nous avons nourri des espérances à votre sujet.

Quand vous mettez le pied dehors, tout en lâchant les brides, la peur nous prend : quelle réponse donnerez-vous à ceux qui vous enseigneront d'autres valeurs ? Quel parti prendrez-vous dans la jungle des concurrences ? Pour quelles valeurs lutterez-vous ? Quel sens donnerez-vous à votre vie ? Quel chemin tracerez-vous à votre liberté ? Quel nom donnerez-vous à votre pays ?

Quand vous serez livrés aux vents contraires, nous espérons que vous serez des hommes et des femmes debout. Peut-être contesterez-vous l'héritage que nous vous aurons tissé au fil de l'enfance ? Si vous contestez en devenant vous-mêmes plus forts, si vous savez prendre le parti des plus faibles que vous, si vous aimez travailler et si vous travaillez à l'amour, nous aurons gagné. Et avec vous, peut-être pourrons-nous, vieillissants, continuer de créer la vie... »

Il faudrait prolonger ce témoignage saisissant par une autre expérience trop peu vécue dans ce monde où l'on grandit si vite. Qu'en est-il de l'enfant qui reste en soi ? Une nostalgie ? Un bon ou mauvais souvenir ? Un bonheur idyllique ? Une fleur sauvage ou domestique ? Est-ce vrai que *l'enfant moderne est à la fois celui dont on rêve et celui qu'on refuse* ? À ce compte-là, il n'y a plus d'esprit d'enfance. Et pourtant, je nous soupçonne d'en avoir grandement besoin.

L'enfant ne sépare pas le rêve et la réalité
l'amour et le pain
le jeu et la vie

Il sait renaître sans cesse.

Voyez-le reconstruire le «château de cubes effondrés».
Poète «sauvage, incertain, impatient, inattendu».
Esprit à l'affût du secret des choses.
Observateur sagace qui déchiffre le mystère des visages.
Pauvre qui sait recevoir, accueillir...
et donner jusqu'au gaspillage.
Incendiaire qui allume le bois mort de notre vie.
Petit dieu de la jeunesse du monde en attente.
Chercheur infatigable de tous les possibles.
Roseau aussi fort que fragile.
Sourire au bord des larmes.

À quarante ans, est-on si loin
de ce qui nous a fait humains?

• Un métier noué à l'amour

Centre de gravité et d'épanouissement pour les uns, lieu d'aliénation ou de fuite pour d'autres, le travail n'en reste pas moins une dimension importante de la vie, malgré une révolution culturelle récente qui tente de le démystifier et même de le dévaloriser. Chez l'homme de la quarantaine, le métier occupe souvent une position-clé, comme source d'identité, de reconnaissance sociale et de projet d'existence. C'est vraiment la ligne dynamique de l'adulte masculin, surtout dans notre société où pendant longtemps le *leadership* de la vie domestique revenait de facto à la femme. Les choses changent, mais moins rapidement qu'on ne le dit. Beaucoup de mâles de la quarantaine restent assez conservateurs en ce domaine, surtout quand ils sont directement impliqués par un nouveau partage des rôles que réclament une épouse ou une compagne de travail. Ils feront moins de concessions au travail que dans la vie familiale, ou encore dans la vie publique.

Voilà un constat. Mais je me demande s'il n'y a pas des raccords neufs à établir pour dépasser une certaine guerre des sexes. Ces raccords sont d'un autre ordre. Par exemple, dans quelle mesure le métier et l'amour n'ont-ils pas été «divorcés»? Ces deux sphères trop étanches ont créé des identités masculines et féminines trop unidimensionnelles. L'homme au travail, la femme à la maison. C'est la «vie» de l'un et de l'autre, qui d'abord a été tronquée, décomposée, réduite. Le défi de la recomposer est commun aux deux.

Mais sur quels fondements! J'en retiens un: la synergie du métier et de l'amour. Il y a mutuelle inclusion, mais selon un ordre de valeurs qu'il faut renverser, surtout chez le mâle d'ici. L'amour, chez lui, est trop souvent demeuré dans un univers à part. Je ne parle pas de l'amour de son métier, mais de son expérience d'amour. Celle-ci devrait englober toute sa vie, son travail particulièrement. «Point de vue de femme,» diront certains. Voilà le vieux réflexe qui refait surface. Il est complice de cette société dionysienne déshumanisée, de ces milieux de travail secs, froids, irresponsables. Il faut redonner priorité sociale à l'expérience fondamentale de l'amour, même au cœur des inévitables luttes et rapports de forces. Je parle donc d'un *métier noué à l'amour*.

Un certain féminisme tombe dans la vieille ornière masculine, si la femme oublie cette synergie qu'elle porte. Une synergie qui est tout simplement «humaine», et que l'adulte masculin doit apprendre. La société aussi. Qu'on me comprenne bien, le métier noué à l'amour, cela vaut autant pour la femme que pour l'homme. Mais celle-ci a peut-être un rôle historique, même politique, pour promouvoir de nouveaux rapports entre ces deux expériences fondamentales de la vie.

JE RELATE ICI L'EXPÉRIENCE D'UN AMI

Je venais de casser la croûte en vitesse à la maison, après une longue matinée à l'hôpital. Un patient m'attendait à la clinique médicale du centre-ville. Quinze minutes, à moi seul, avec mes pensées. C'est le temps que je mets pour rejoindre mon bureau. Sur le trottoir, au milieu de la foule pressée, j'apprécie un anonymat propice à la réflexion personnelle. Il y a quand même de bonnes choses dans la cité moderne. On peut s'isoler plus facilement qu'on pense. Encore faut-il avoir le goût de se retrouver au fond de soi.

À 45 ans, déjà habité par bien des expériences, on ne rumine pas du vent. Tant de choses à mâcher, à digérer... et aussi à éliminer! Mais c'est étrange: la vie m'apparaît à la fois plus simple et plus compliquée. Je sais davantage ce que j'aime, ce que je veux. Et, par ailleurs, je souffre de ce qui m'échappe. Sans compter les échecs. Même acceptés, ils continuent de me tordre les tripes douloureusement. Mais au bilan, j'ai bien réussi dans ma vie, sauf avec mes enfants. Pourtant, ce que j'ai pu investir pour leur bonheur. Éric, à la table ce midi, m'a traité de vieux cinglé qui ne comprend rien à la vie d'aujourd'hui. Des trois, j'avais cru que celui-ci gardait quelque connivence avec moi. Est-ce rupture passagère? Ça me fout par terre. Je pense à Nelligan: «Qu'est-ce que le spasme de vivre?»

Voyons, je n'ai pourtant pas le cœur au désespoir. Il me reste un long temps à vivre. À quoi bon m'empoisonner de l'intérieur. Ces débuts d'après-midi me sont toujours pénibles. Je me sens lourd et peu en train. Mais le travail à faire me «recrinque». *Au fond, c'est le métier qui nous sauve*. Les jeunes, ils sont foutus s'ils n'y croient plus. Il y a quelque chose ici d'essentiel. Un rituel de base. Une trame qui sustente le canevas original qu'on porte. Le travail bien fait, *c'est un peu le battement du cœur qui passe par nos mains*. Oh, je sais bien qu'il y a des besognes insignifiantes. Mais aucun métier n'échappe à une certaine cuisine automatique. Que de gestes répétés plus ou moins vides! Leur humanité vient plutôt de l'intérieur et aussi des rapports qu'on noue avec les autres.

Allons, il faut presser le pas. Tu es en retard. Ce n'est pas ton habitude de faire attendre un patient. L'habitude? Elle peut créer d'infranchissables tampons de résistance devant l'inédit d'une souffrance qui vous envahit. Chez chacun de mes malades, j'ai si souvent rencontré un drame unique qui aurait exigé des heures d'accueil et d'attention. Tu ne peux pas porter le monde entier sur tes épaules. Mais comment éviter ce sentiment si naturel? Toute l'humanité est présente dans le cri d'un enfant leucémique et dans l'écho qu'il répercute chez ses parents. Mais qu'est-ce que j'ai aujourd'hui? On dirait un pressentiment...

Le cœur gonflé de cette tristesse inexplicable, je traversais la salle d'attente, quand un homme haletant et tout en sueur me dit:

— Docteur, il faut que je vous vois tout de suite. C'est très pressé. Je ne puis attendre... je vais en crever.

J'ai cru le mal plutôt psychologique. Calme et rassurant, je l'invite à s'asseoir. Je lui signale la patiente qui m'attend depuis quelques moments. Dans quinze minutes je serai à son service. J'étais quand même inquiet. Aussi ai-je précipité l'examen de mon premier malade.

L'homme entre en coup de vent dans mon bureau. Très agité, il me décrit rapidement sa situation... brutalement même.

— Je sors de prison. Les salauds, ils étaient prêts à me laisser mourir. Ils m'ont gardé jusqu'à la dernière minute. Je suis intoxiqué. Quand je me suis vu coïncé par la police, j'ai pris de trop fortes doses. J'ai le sentiment d'être à la limite. Je vais craquer si vous ne faites pas quelque chose. Mon cœur ne tient plus le coup.

Cet homme faisait vraiment pitié. Le sang dans l'œil. Un rictus à la bouche, qui ne laissait pas de doute. Il se courbait de temps à autre comme pour ramasser sa douleur et la projeter à l'extérieur de sa cage trop étroite. Puis il se frottait le bras gauche. Mais moi, je ne pouvais réprimer un mouvement intérieur d'effroi. Les trois enfants de ma chair m'ont fait connaître cette détresse des drogués, c'est le mal auquel je suis le plus sensible. Il a frappé ma propre maison.

Mon patient, bientôt, se calme. La crise est passée. Mais elle peut revenir plus forte dans un moment. Cet homme a perdu toute résistance. Je sens qu'il a besoin de parler. Le voilà comme un mendiant qui veut arracher au passant un peu de réconfort.

— Docteur, mon histoire est tragique. Je suis un homme d'affaires. J'ai fait de l'argent à la pelle. Puis j'ai tout perdu. Vous savez, on n'oublie pas facilement un gros train de vie qui vous apportait tout: considération, amis, voyages, luxe. Pour continuer dans la même voie, il me fallait trouver un moyen efficace et rapide. Je suis devenu *pusher*. À cause de mon âge, de ma réputation, j'ai vite atteint un poste-clé dans le réseau. Je sais que vous êtes tenu au secret professionnel... n'est-ce pas ?

— Oui, lui dis-je, perplexe et hésitant.

Je n'aimais pas cette interpellation. Et pour cause, j'ai tellement souffert de voir mes enfants se détruire. Une violence presque démentielle me remonte du cœur quand je vois une possibilité de lutter contre ces bandits les plus ignobles du monde. « Maîtrise-toi », me dis-je au fond de moi.

— Avant d'être pris au piège, j'ai pu monter une organisation extraordinaire. À la polyvalente X, je pouvais compter sur une cinquantaine d'intermédiaires. Des étudiants audacieux et débrouillards et quelques professeurs.

Il me décrivait son opération un peu comme un chroniqueur de hockey à la télévision. Ce qui n'était pas pour diminuer ma pression intérieure. Plus il me donnait de détails, plus j'en arrivais à l'identifier au grand boss dont Jean m'avait parlé quand il était revenu de la cour. C'était donc lui. J'avais devant moi l'homme qui a presque brisé vingt ans de patiente éducation. Jamais, de toute ma vie, je n'ai eu aussi mal. Je voulais bondir sur lui... lui casser la figure... l'écrabouiller... le torturer à petit feu... et quoi encore ! Comment vous dire la tornade de sentiments rageurs qui siphonnait tout mon sang ? Il a dû voir ma face devenir pourpre et mes lèvres se plisser subitement.

— Oh ! je sais que ça vous scandalise. Mais je me dis... moi ou un autre, les mêmes choses arriveraient. Regardez ce que font les politiciens. Et puis, un peu tout le monde. Il y a bien des sortes de *pushers*. Les gens sont prêts à tout pour la piastre. Même ceux qu'on croit honnêtes. Je ne suis peut-être pas pire qu'un autre. La société est faite comme ça. C'est pas moi qui va la changer. Autant en profiter.

— Écoutez mon cher monsieur, ça, je ne le prends pas. L'argument est trop facile. Savez-vous que vous contribuez à détruire des êtres irrémédiablement? Des tissus brûlés, c'est sans retour. Avez-vous perdu tout sens moral? Vous êtes là à la limite de votre vie (j'ai regretté mon expression)... du moins en très mauvaise condition physique, n'est-ce pas le moment d'évaluer ce que vous avez créé de misère chez des milliers d'innocents?

J'allais le traiter de criminel, je voulais lui crier ma révolte... le faire pendre. Pour me calmer, je lui demande:

— Avez-vous une femme, des enfants?

— Oui, me dit-il à mi-mot.

— Et eux, ils en prennent de la drogue?

— Non.

— Qu'est-ce que vous feriez, si c'était le cas?

J'avais touché juste. Il éclate. Entre deux sanglots, il me dit suppliant:

— Docteur, pitié!

Me voilà tout à coup honteux. Je suis en train de fouler aux pieds un être déjà écrasé, knockouté, malade, désespéré. Mais ma rage intérieure est si profonde. Depuis longtemps, j'ai peine à retenir ce violent sentiment de vengeance. Tous les jours, des bouffées de colère m'oppressaient au point de m'asphyxier le cœur. J'étais pris de vertige à chaque fois. Or cet homme qui m'a fait tant de mal est là devant moi, à ma merci. Pour me justifier, j'ai pensé un moment lui révéler la vraie raison de ma rage contre lui. J'hésitais. Une telle révélation allait peut-être provoquer une panique fatale.

— Docteur, qu'est-ce que vous attendez? On dirait que vous êtes paralysé sur votre siège.

Mais mon regard l'avait quitté depuis quelques minutes. Un regard fixe, à paupière levée... raide... imperturbable. Mon visage a dû l'apeurer :

— Docteur, je commence à frissonner, j'ai des sueurs froides au front.

Tout se passait comme si mon débat de conscience m'emmurait. Je ne pouvais en sortir qu'en le dénouant. Je sursaute et me tourne vers lui :

— Je ne suis pas ici pour vous juger mais pour vous soigner.

Et je lui donnai ce dont il avait besoin. Mais je ne comprenais pas encore comment j'avais pu réagir aussi soudainement contre cette colère qui m'emprisonnait. J'allais mieux saisir la profondeur et la vérité de ce geste un peu plus tard dans la soirée.

Au lit, dans les bras de ma femme, j'ai révisé au ralenti mon aventure. Nous étions serrés l'un contre l'autre, je lui ai raconté en détail chacun des moments de cette rencontre.

— Tu as bien fait de le soigner, me dit Anne.

— C'était mon devoir de médecin.

— Crois-tu que ce motif a suffi pour te retourner ainsi bout pour bout ?

— À vrai dire... non. Je n'arrive pas à m'expliquer le pourquoi de ce retournement.

— C'est plutôt un dépassement... une sorte de saut impossible.

— Oui... tu as raison... un dépassement. Je cherchais le mot juste.

— Tu ne le regrettes pas ?

— Non je suis content de mon coup.

— Un vrai coup de cœur, un geste à hauteur d'homme.

— Ah, ma petite Anne qu'est-ce que je serais sans toi ?

— Tu es mon grand fou, serre-moi plus fort.

— Toi, tu es ma femme, ma maîtresse... mon meilleur ami.

— Ton meilleur ami... Tu ne n'as jamais rien dit d'aussi beau.

— Tu sais, Anne, ce dépassement dont tu parlais, il y a un moment, j'ai l'impression de ne pas en être le seul auteur. J'ai même le sentiment de ne pas le mériter. Un peu comme si on me l'avait arraché malgré moi. Je parlais de devoir. Je devrais dire... c'est le métier qui sauve l'homme, les hommes. Il y a une sorte d'humanité solidaire, radicale qui est inscrite dans le métier, un peu comme la source qui jaillit du sein de la terre, entre les cailloux. On ne sait exactement d'où elle vient. Sans doute une nappe d'eau profonde, tenue en réserve au flanc de la montagne. Un réservoir d'énergie pour les grands moments.

— Penses-tu vraiment que le métier suffit?

— Tu vas me reprocher, je suppose, mon chauvinisme masculin.

— Mais non, Georges, moi aussi j'ai un métier. Le malheur c'est que cette stupide division du travail a cloisonné l'amour et l'a empêché d'être le levain universel dans toutes les pâtes humaines. Penses-y un moment. N'y a-t-il pas dans ton geste, au bureau, une victoire de l'amour? Lui seul permet l'impossible.

— Oui, c'est un peu stupide de séparer ainsi la vie. Au travail: la guerre; au lit: l'amour. Hum! Le repos du guerrier.

— C'est à se demander si l'amour est déjà né dans le monde réel des hommes. Les guerres incessantes en témoignent. Toujours le même cercle vicieux. Il y manque le ressort mystérieux pour en sortir. Ce petit quelque chose apparemment insignifiant - et pourtant explosif - qu'est l'amour. Encore faut-il le faire entrer dans le métier, dans la grande cité, dans la politique.

— Au fond, on n'y croit pas. Vois, je n'ai même pas fait ce rapprochement dans un geste où l'amour a été plus fort que la haine.

— Et pourtant, il t'habite cet amour, comment aurions-nous pu passer à travers tant d'épreuves?

— Oh ma petite Louve, si tu savais à quel point je t'aime. J'ai le sentiment d'aller au fond des choses avec toi, d'aller au bout de moi-même, de me vider de moi pour me remplir de toi. Dans ton creux de mystère, je retrouve foi et lumière. J'ai tant besoin de ta présence, de ton cœur, de ton corps.

— Égoïste... tu ramènes tout à toi... accapareur! Moi, aussi je t'aime comme une folle... aussi égoïstement.

— Quel mot horrible!

— C'est important de savoir s'aimer soi-même.

— Mais, j'ai tout appris cela avec toi, mon amour.

— Peut-être te faudra-t-il mieux le vivre avec nos trois grands... puis à ton travail?

— Admets que bien des choses ont changé dans ma vie à partir de nos étreintes. Des étreintes où le corps et l'âme retrouvaient leur unité profonde. Des étreintes qui rassemblaient tous les fils de notre trame humaine.

— Oui, c'est vrai. J'aime bien ton expression: au fond des êtres, des choses, de la vie. C'est le privilège extraordinaire du couple humain que d'anticiper l'union radicale des hommes, de leur révéler sa profondeur mystérieuse. Jadis étrangers, nous sommes devenus une même maladie, tantôt allegro, tantôt adagio, andante... vivace.

— Ensemble, nous avons été au fond... au bout. Quelle aventure fascinante! Je le sens quand je me prolonge très loin dans ton corps...

comme si je voulais m'installer au beau milieu de ton cœur.

— Mais tu y es déjà... depuis longtemps. Aucune autre joie humaine ne vaut celle de se sentir en sécurité dans le cœur de l'autre. La paix commence là. Toutes les paix du monde.

— À bien y penser... ce qui est humain, personnel, spirituel n'apparaît vraiment qu'à ce tréfonds de l'être en amour, que dans ce rapport qui nous fait quelqu'un d'inestimable aux yeux de l'autre.

— On touche peut-être ici Sa Présence.

— Dieu?

— Oui.

Je me suis endormi, pacifié, dans les bras de mon grand amour. Un poème est né de mon rêve.

Au creux de ton mystère
Je retrouve foi et lumière.
Anne, mon amour, mon amie
Je veux te chanter en contrepoint
ma propre partie
qui nous amènera encore plus loin.
Tes yeux dans mes yeux
Mon corps dans le tien
Un pas de deux
Ma main dans ta main.
Tantôt mouillés dans l'eau tranquille du port,
Tantôt emportés par des vents trop forts
nous avons appris la brise et la tornade,
et le secret de toutes les vagues.
Nous avons réconcilié l'eau et le feu
dans la rencontre de nos aveux.
Il n'y a de vraie transparence
que dans cette nudité.
Elle doit être unique, réservée
non seulement au corps, mais à l'âme.

Un peu comme un fond d'océan
nous retenons notre amoureux mystère
non pas à la manière d'un trésor caché
ou encore d'une étoile inaccessible
mais comme la plus intime prière.
Anne, c'est toi qui m'a montré
l'immatériel indicible
à l'horizon de mon métier,
de nos enfants, de notre maison.
Quand je vois ma cité si enlaidie
où l'on se bat sans savoir pourquoi,
quand on détruit et rebâtit
sans humaine raison et sans joie,
Quand le peuple se veut soumis
à de nouveaux rois,
quand on ne sait plus sa maladie,
ni la source de son désarroi,
je pense que nous devons sortir du nid
et mettre les consciences aux abois
mobiliser nos amours et nos convictions
nos espoirs et nos passions
pour vaincre de si folles misères.
Anne, c'est maintenant notre tour
de donner à de vraies colères
les raisons de l'amour.

La mort à l'horizon
Un paroxysme de vie

On le dit souvent: la quarantaine est une période critique pour l'homme chargé de lourdes responsabilités. Le battement du cœur se fait moins régulier et le souffle plus rare, surtout au moment des efforts en trop. Pourtant, il n'y a pas longtemps, on se sentait si fort, si sûr de sa monture. L'inquiétude perce. C'est le deuxième versant. On pense plus souvent à la mort. Beaucoup d'autres le font avant cet âge, rappellent les psychiatres; mais en l'occurrence, cette angoisse devient plus personnelle. Elle se diffuse dans une large et épaisse étoffe de l'existence. Tant de choses auxquelles on tient. Et tous ces projets en marche. Plus encore, on craint de ne pouvoir moissonner les fruits de son arpent de terre qu'on a cultivé depuis bien des années à bout de cœur et de bras. Les rapports avec des êtres chers ont pris la profondeur de fortes racines. La perspective de la mort évoque un terrible arrachement... une sorte de chute folle comme celle d'un gros arbre renversé, déraciné par un ouragan. C'est tellement bête. Devant l'inévitable, on voudrait au moins «s'essoucher» à un moment choisi librement.

J'ai eu souvent à cheminer avec des hommes dans leurs itinéraires de maladie qui les menaient à la mort. Je pense particulièrement à des cancéreux, à des cardiaques condamnés. On discute beaucoup actuellement cette alternative: doit-on taire ou révéler la vérité... la mort prochaine? Il n'y a pas de principe absolu. Mais je garde une conviction après toutes ces expériences. Ceux qui ont assumé leur vie, pourquoi leur enlever la possibilité de vivre leur mort?

J'ai vu des exemples extraordinaires d'humanité chez des malades «conscients» de leur dernière étape. Ils m'ont appris à regarder ma propre mort d'une façon plus sereine et vraie. La mort, c'est un peu un animal sauvage qu'on doit apprivoiser avec patience. Avec une finesse humaine jumelée aux connivences de la nature.

Mais avant tout, chez l'homme, la mort est une expérience spirituelle. Notre monde sécularisé, en rejetant la dimension religieuse, a appauvri le fond humain de cette aventure décisive, tout en révélant le scandale absurde que la mort porte. Mais combien de contemporains savent mourir? Une certaine médecine industrielle précède le travail commercial des salons funéraires pour faire oublier la mort. Celle-ci n'est plus naturelle, ni spirituelle. Mort technique ou mort animale, l'une et l'autre manquent d'humanité. Je ne veux pas imposer ici ma vision de croyant, mais simplement en témoigner. J'insiste sur la mort comme paroxysme de la vie, plutôt que retour absurde au néant.

AU REVOIR, MARCEL

«Je sais que mon créateur est vivant, qu'il m'accueillera près de lui non pas comme un étranger mais comme un ami. De ma chair, je verrai, tout espérant, l'Éternel qui m'a donné son Esprit de vie.» Prière de Job. Parole du Seigneur.

Il y a quelques mois, au moment d'un tête à tête, Marcel m'a tenu le même langage. Cet après-midi là, comme Job, condamné, dépouillé, arraché aux siens, à ses amis, à ses biens, Marcel a eu ce sursaut d'espérance. À partir de ce moment il a été plus fort que nous tous qui l'avons accompagné durant cette dure étape.

Cet homme tendre et fragile nous rappelait sans la dire la parole de Paul : c'est dans ma faiblesse que je suis fort, je sais en qui j'ai mis mon espérance et trouvé grâce.

Nous nous sommes redit souvent ensemble cette même conviction qui nous habite : vivants éternels, nous savons que la foi porte un germe qui ne meurt pas. Une semence qui survit aux civilisations, un peu comme le lierre sur les ruines des cités disparues. Une tige fragile semblable à celle du pissenlit qui perce nos asphaltes. Étrange paradoxe face à cette philosophie moderne du café instantané.

Depuis dix ans, tous les mois, nous nous retrouvions, Marcel et quelques autres croyants, à la même fontaine d'eau vive. Tous, dévorés, enterrés par de lourdes responsabilités, nous refaisions surface pour retrouver cet horizon à long terme, cette espérance évangélique qui donne goût, profondeur et élan à nos aventures humaines. L'Évangile devenait vraiment pour nous sel de la terre, levain dans la pâte quotidienne, lumière du monde et sagesse de vie.

Marcel, aujourd'hui, prend les devants sur ce chemin d'éternité. Il a vécu le drame de Job. Un drame désespérant s'il n'y avait pas la Pâque de Jésus. La résurrection par delà la croix. La maison du Père par delà celle de la terre. « Heureux ceux qui meurent dans le Seigneur. Oui, dit l'Esprit, dès à présent qu'ils se reposent de leurs épreuves. Car le bien qu'ils ont fait les accompagne ».

Marcel nous ramène à l'essentiel. Comme il me disait : « Je n'ai plus que l'espérance à transmettre aux miens. Mais n'est-ce pas l'unique héritage que ni la rouille, ni l'acide, ni le temps ne peuvent aliéner ? »

À sa femme, à ses enfants, à ses proches, Marcel livre un testament spirituel qui révèle la qualité de cette famille. Nous tenons à leur dire notre profonde estime et notre fraternelle sympathie.

Avec pudeur, je voudrais ajouter ici une touche personnelle. J'ai vu entre cet homme et cette femme un des plus beaux poèmes d'amour. Il y a des fidélités terrestres qui sont des sacrements d'éternité. J'ai vu aussi un médecin de famille allier avec beaucoup de discernement sa compétence et sa foi. Il me semble que l'on peut se dire ces choses dans la maison du Père. De telles connivences spirituelles ont une valeur inestimable.

Nous sommes ici de tout âge, de tout lieu et de mentalités différentes. Et pourtant qu'est-ce qui nous réunit? Une tombe? Un ami? Un geste d'adieu? Une dernière sympathie? Oui, mais il y a beaucoup plus. Il se passe quelque chose de profond entre nous, au creux de notre âme et conscience. La foi sereine du témoin Marcel nous interroge. Elle nous a rassemblés ici comme en une sorte de solidarité radicale. Elle seule peut faire des hommes d'authentiques frères.

C'est du moins la conviction que le Seigneur a donnée à ses disciples croyants. Feuille ou branche, tronc ou racine, suc ou sève nous appartenons à la même souche spirituelle. Elle aussi, la vieille souche de l'Église ne meurt pas, malgré toutes nos infidélités.

En regardant Marcel, ce chrétien pratiquant, humble, ne se prenant pas pour un saint, je vois cette lignée de croyants-fidèles qui d'une génération à l'autre ont maintenu vivants dans le monde les deux testaments du Père. Cette souche ecclésiale, bien sûr, n'est pas exempte de péché, d'hommerie. Mais elle rend l'Église aussi humaine que nous, peut-être pour nous faire comprendre le Dieu qui s'est fait le dernier des hommes.

Cette fidélité pratiquée par Marcel a bien plus de poids qu'on ne le pense. Elle lui a permis de syntoniser son cœur sur la longueur d'onde de Dieu.

Pas de leçons, pas de prêchi-prêcha, pas de recommandations, il nous a quittés en nous laissant uniquement ce témoignage d'humbles gestes de père, d'époux, d'ami, de travailleur et de croyant. Seul son regard attentif reflétait la lumière intérieure qui l'habitait. Une pointe d'inquiétude perçait dans les derniers moments. C'était un peu l'écho de la prière qui nous rassemble aujourd'hui: « Seigneur, notre cœur est inquiet, jusqu'à ce qu'il se repose en toi ».

II

DE QUELQUES CONVICTIONS

● DES BÉATITUDES MODERNES

Heureux ceux qui n'ont rien à vendre
ou à acheter,
ils n'ont qu'eux-mêmes à partager.

Heureux ceux qui se foutent des modes
et de toutes pareilles conformités,
ils ont déjà commencé à se libérer.

Heureux ceux qui boulangent leur pain
et inventent leur propre chemin,
ils sont de nous tous les plus humains.

Heureux vous qui fuyez les spectacles patentés,
vous saurez mieux dire, chanter et fêter
vos tendresses et vos fureurs.

Heureux vous qui refusez les jeux établis,
vous pourrez reconnaître votre vraie réalité
et affirmer vos enjeux interdits.

Heureux vous qui poursuivez les esclavages
jusque dans leurs derniers mirages :
l'invincibilité des puissants,
la liberté de l'opulent,
l'inerrance des savants et des sages.

Heureux celui qui unit la possession de lui-même
et la libération des autres,
il marie l'indépendance et la solidarité,
il anticipe une nouvelle société.

Heureux celui qui marche par lui-même,
il a cessé de courir inutilement
et de s'asseoir passivement.

Heureux celui qui est critique dans ses affirmations,
et constructif dans ses négations,
il rend son milieu plus respirable
et l'avenir plus enviable.

Heureux les impurs humbles et honnêtes,
ils décryptent le sépulcre des fausses puretés
et ouvrent des brèches de vérité.

Heureux les violents capables de réconciliation
et les non violents prêts à lutter pour la justice,
vous humanisez, sans trahir, les combats de la cité.

Heureux les témoins de l'invisible
qui bêchent sans cesse notre terre
pour inventorier les nouveaux possibles
au creux des sols les plus ordinaires.

Bienheureux vous les fous du spirituel
au milieu des matérialismes sophistiqués ou vulgaires,
vous gardez à la mèche d'humanité son étincelle,
vous maintenez le monde et son histoire ouverts.

Bienheureux vous les espérants du prochain rendez-vous,
votre Royaume est déjà au milieu de nous.

● LES TROIS FRÈRES

L'intelligent. Le riche. Le courageux.

I

L'intelligent a connu des succès faciles
Bourré de talents, débrouillard, habile,

il a su tirer parti d'une certaine révolution tranquille.
Dons généreux des parents,
bourses du gouvernement,
jobs sur plateau d'argent.
Tout lui a souri,
et pourtant il n'est pas content de la vie.
Il se plaint de tout:
sa femme, son travail... la société.
Toujours sans le sou,
malgré de forts revenus assurés.
Peu à peu il s'enferme en lui-même
pour incuber *ses* grands problèmes.
Le voilà tout «pogné» dans son rêve intérieur.
Drôle de rêve qui l'amène toujours ailleurs.
Il ne cesse de parler de l'inaccessible bonheur.
Des autres viennent tous ses malheurs.
Tant de lucidité sur son entourage
et si peu de clarté dans sa cage.
Eh oui! Il tourne en rond.
Il revendique.
Il crie sa domestication.
Mais est-il capable du moindre bond?

II

Le riche, lui, ne s'est jamais attardé
à se tâter le nombril,
c'est un réaliste, bien campé.
Faire de l'argent, voilà sa vie.
Rien d'autre ne l'intéresse.
La meilleure libération,
c'est l'accumulation.
Tu possèdes le fric
et tout vient par surcroît.
Pendant que son frère critique,
lui, il fait gain de tout bois.
Au fond, à bien y penser,
la vie est très simple dans cette foulée.

Le chèque devient l'unique mesure
de tant de choses si compliquées,
à la condition de savoir être dur
et de bien tenir sa comptabilité.
Quand on a bien assis
son avoir et son pouvoir,
on peut même être généreux et gentil,
et faire preuve de bon vouloir.

Bref, le riche, c'est l'exemple réussi.
Dans sa famille, on le préfère à l'intelligent.
Cet homme solide et sûr de lui
a tout ce qu'il y a de rassurant.

III

Le courageux est bien sympathique.
Mais c'est un pauvre type.
Il a dû laisser l'école à bonne heure
pour apporter un supplément au budget familial.
Le lot de l'aîné, quand ça va mal.
Il a toujours travaillé pour le pain et le beurre.
Il a connu bien des épreuves et des pépins.
Pertes d'emploi, accidents de travail et autres chagrins.
Fier, il n'a jamais demandé un sou aux siens.
Il a toujours trimé dur pour se sortir du pétrin.
Dans la famille, on ne le tient pas en haute considération.
Il rappelle trop le porteur d'eau et le « petit pain ».
La pauvreté, aujourd'hui, s'appelle démission !
Des trois, il est pourtant le plus sain,
le plus humain.
Il sait la patience et l'endurance.
Il sait être heureux
dans la pénurie comme dans l'abondance.
Il n'a rien d'un envieux.
Il aime les choses simples de la vie.
Sa femme et ses enfants sont comme lui.
Même couenne morale, même fibre tenace.
Solidaires, dans la même trace.

IV

Voici qu'une grande crise surgit
Le riche perd tout... tout son argent.
Il n'y avait que ça dans sa vie,
c'est donc à ses yeux le néant.
L'intelligent vit le même désespoir.
Aucun des deux n'est prêt au pain noir.
Seul le courageux fait face au défi.
Il en a vu d'autres jusqu'ici.
Aux siens, il tiendra ce langage :
« Je ne vous laisse pas un gros héritage
seulement ce je ne sais quoi de courage.
Nous entrons dans des temps difficiles.
Les bourses ne seront plus très utiles.
Il faudra davantage de coeur et de main
pour faire son propre pain.
Les enfants du monde prospère
n'ont pas connu les enfants de la faim.
Leurs pères ont su cacher ces misères.
Ce faisant, ils ont préparé de tristes lendemains.
L'abondance finie,
que feront ceux qui n'ont jamais appris
à arracher de la terre, son fruit et sa fleur.
Ils ont moqué l'effort, la discipline, le labeur.
Ils ont nié toute limite à leur liberté,
en laissant aux autres le poids des nécessités.

Tous, nous revenons aux raretés
à l'économie des sueurs.
Faut-il tant désespérer
quand on sait le bonheur
que dans la vie, à tout âge,
on tire des moments de courage ? »

V

Oui le courage
ce levain du pain quotidien
ce sel qui donne goût aux luttes de la vie

cette force nécessaire à nos amours
ce nerf de toute libération
cette capacité de vivre ce qu'on pense
ce ciment des solidarités durables et vraies
cet élan au coeur des petites et grandes responsabilités.

Pourquoi notre jeune société
est-elle déjà si fatiguée?
En liquidant son passé
aurait-elle oublié
ces résistants têtus et obstinés
qui, plus qu'une terre, nous ont livré
une force morale pour de nouvelles fécondités?

● UN SURSAUT MORAL

Quand on ne sait plus distinguer ce qui est honnête et ce qui ne l'est pas

Quand on dit même que l'honnêteté n'est plus possible

Quand tant de citoyens font fi du bien public

Quand le patronage à tous les niveaux corrompt l'administration publique

Quand on saccage des équipements coûteux de la propriété collective dans des hôpitaux, sur des chantiers et dans des écoles

Quand des responsables de délits graves, après de longs procès dispendieux, s'en tirent aussi allègrement

Quand beaucoup d'entre nous avouent: «Je ferais peut-être la même chose si j'étais à leur place»

Quand de puissants pouvoirs économiques restent invisibles et intouchés après avoir soudoyé des hommes politiques

Quand des conflits syndicaux-patronaux mettent en danger les enfants d'un hôpital pour des motifs sans proportion

Quand la plupart des institutions ne sont plus « administrables »

Quand la conscience professionnelle au travail est souvent reléguée au dernier rang de l'échelle des valeurs

Quand on continue à dépenser follement sans distinguer le nécessaire, l'utile et le futile

Quand on recourt aussi vite et aveuglément aux moyens violents pour promouvoir ses intérêts

Quand un certain style d'éducation se refuse à toute formation « morale »

Quand on se moque de tout ce que les sagesses humaines ont considéré comme sacré et digne de respect

Il faut alors un sursaut *moral*
à partir de ce qu'il y a de meilleur en nous.

Un sursaut de *dignité*
pour restaurer ce qu'il y a de sacré dans l'homme.

Un sursaut de *conscience*
pour évaluer ses propres complicités.

Un sursaut de *courage*
pour vaincre la grande tentation de démissionner.

Un sursaut de *responsabilité*
pour assurer les tâches nécessaires.

Un sursaut d'*espérance*
pour surmonter la démobilisation actuelle.

Un sursaut de *sagesse*
pour inventer des conduites plus sensées de la vie.

Un sursaut de *solidarité*
pour rendre les biens essentiels accessibles à tous.

Ce sursaut est possible là où il y a encore

un amour profond de l'homme
une soif de justice
une volonté ferme de libération
un souci d'être vrai
une foi qui fonde ses convictions.

Les épreuves mènent les hommes au fond de la vie.
Même si au premier regard ils n'y trouvent que folie,
après recherches tâtonnantes et luttes patientes,
un nouveau printemps surgit avec sa sève montante.

● AMOUR, LUTTE ET PAIX

Je me méfie des apologies faciles
de la paix, de la lutte ou de l'amour.
Il y a des paix qui cachent

une peur inavouée
un intérêt douteux
une complicité veule
une fuite du réel
un refus du risque
une méfiance face à la liberté.

J'ai vu aussi des luttes
masochistes, nihilistes, sans humanité.
J'ai connu des violents qui projetaient
leurs conflits intérieurs non assumés
ou leur soif de pouvoir absolu
ou leur incapacité de confrontation humaine.

Et que dire de ces amours
sans tripes
sans mains ?

Ces amours confinées au petit jardin
Ces amours « fleur bleue » et narcissiques.
Je suis aussi critique
devant l'altruisme pur :
il a masqué tant de fausses vertus,
et maquillé cette subtile possession de l'autre.

Sans amour, la lutte ou la paix
sont deux enfers aussi inhumains.
Sans lutte, le peace and love
s'abstrait de l'histoire, de la vie réelle.
Sans esprit de paix,
on oublie l'objectif visé
d'hommes et peuples raccordés.

J'ai perdu bien des naïvetés en vieillissant.
Je sais que les libérations les plus décisives
ne se gagnent pas sans de rudes combats.
J'ai vécu en bagarreur.
Je ne rejette pas, pour autant, les pacificateurs.
Mais je crois de moins en moins à la vocation unique.
Il faut des hommes capables d'être
lutteurs, amoureux et « pacifiants ».
Trois dimensions inséparables.

Je ne dispute pas les accents
que chacun peut y mettre.
Mais il en va ici
des sociétés comme des individus :
le pacifisme ou la violence aveugles
ont mené à des culs-de-sac historiques.
L'ambivalence demeure :
la guerre a détruit ou trempé des peuples ;
la paix a humanisé ou endormi des civilisations ;
l'amour a suscité des dépassements ou rétréci des
aventures.

Ces trois forces doivent donc être présentes
en tout milieu humain sain et dynamique.

Mais je crois qu'il faut les situer
dans une échelle de valeurs.
Je veux te dire la mienne:

L'amour comme moteur

La justice comme règle

La paix comme fondement

La liberté comme climat.

● IL Y A TOUJOURS UNE FOI

À la fine pointe de solides convictions
Au creux de profondes libérations
Au-delà de longues hésitations
À la source de courageuses réalisations.

Il y a toujours une foi

Quand tu vas au fond des choses
Quand tu poursuis ta route dans la nuit
Quand tu aimes avec un goût d'infini
Quand tu décides de donner la vie.

Il y a toujours une foi

Chez ceux qui voient avec le coeur
Chez ceux qui ne jouent pas leur conscience
Chez ceux qui se reconnaissent une âme
Chez ceux qui parient la liberté contre la peur.

Il y a toujours une foi

Derrière et en avant des peuples courageux
Dans la foulée des justes révolutions
À l'origine des projets collectifs audacieux
Au sein des plus humaines civilisations.

Il y a toujours une foi

Si ton amour l'emporte sur tes haines et préjugés
Si ton esprit croit à la victoire de la vie sur la mort

Si ton espérance vient à bout de tes espoirs trompés
Si tu sais être libre, juste, vrai et fort.

Il y a toujours une foi

Pour ne te laisser arrêter par aucun mur
Pour aller au bout de ton humaine aventure
Pour nouer des solidarités infrangibles
Pour créer de nouveaux possibles.

Quelle est la tienne?

A-t-elle un nom, un visage, une histoire?
Est-elle enracinée dans ton terroir?
Sais-tu la dire, la célébrer, la partager?
Anime-t-elle ta vie, tes amours et tes pensées?

La mienne...

Je l'ai reçue, contestée, enfouie, retrouvée,
toujours en revenant à cet inconnu de Galilée.
Il habite le fond et l'horizon de mon être.
Une folle passion qui me fait renaître.

● LE GOÛT DE VIVRE

Il y a quelque chose qui m'attire
dans les générations montantes,
c'est leur goût de vivre.
Peu à peu cette pulsion d'une existence plus libre
gagne les gens de tout âge.
On en a marre de la course contre la montre
au travail, dans la rue et même à la maison.
John Brown going from nowhere to nowhere
in less than no time, for nothing.
Des jeunes ont décidé de vivre au ralenti,
de goûter à fond la vie
du corps, de la nature, de l'esprit.
Au début, c'était par réaction.
Puis vint le moment idéologique des raisons.

Aujourd'hui, ils vont tout simplement leur chemin.
On ne les avait pas cru sérieux
avec leur fleur à la main,
leurs posters aux slogans creux.
Sans lutte, sans programme, sans publicité,
ils influencent un à un leurs aînés.
Ils ont trouvé d'abord certaines connivences
avec les plus vieux, ces déchets de la croissance,
ces inutiles qui ont perdu toute rentable efficience.
Même les plus actifs commencent à s'interroger.
Le monde moderne ressemble à une bicyclette.
Il doit rouler pour se tenir debout.
Qu'est-ce que ce progrès devenu marche à l'aveuglette ?
On ne sait plus l'homme au repos,
le recueillement du coeur
la contemplation de l'autre
l'oasis du désert
la fraîcheur du puits.

J'ai vu à Sâo Paulo un chef indien fou.
Il avait refusé la « modernisation » de son amazonie.
Pour le convaincre, on lui a montré la civilisation.
Après un mois en ville, il avait perdu la raison.
Il ne restait plus qu'à le livrer à la psychiatrie.
Pauvre homme, il n'avait pas compris
pourquoi on vend de l'eau pure
dans les supermarchés.
On a jugé son scandale : folie.
Les indiens de là-bas, les jeunes d'ici
portent cet amour simple de la vie.
Se peut-il que nous soyons à ce point pollués,
aveuglés, aliénés,
pour ne pas reconnaître la source cachée
qui monte comme une sève nouvelle
dans nos fibres naturelles ?
Il nous faut accueillir ce printemps
qui chante la joie d'être vivants.

● LIBÉRER LE SILENCE

Combien de gens meurent avant d'avoir fait le tour d'eux-mêmes? SAINTE BEUVE.

Je voudrais savoir entendre
le pas presque muet du goéland
sur le sable humide de la rive.

Je me ferais veilleur de plage
pour écouter le chant mystérieux de la mer
marié au silence lumineux des étoiles.

Tout petit, j'ai appris le secret du silence
pour approcher l'oiseau rare
et apprivoiser mon premier écureuil.

J'ai su plus tard que seul un amour vrai
pouvait trouver plénitude
dans la présence silencieuse de l'autre.

J'ai parfois violé des êtres
en voulant dénouer leur secret
et débusquer leur mystérieux retrait.

J'ai même dilapidé
mon héritage spirituel d'intériorité
acquis dans une tradition de prière.

Et je me suis habitué au tumulte de la ville,
à ce que la cybernétique appelle
« le bruit qui détraque la vie. »

Alors, j'ai dû réapprendre le silence
à grands frais de solitudes compulsives,
arrachées à mes sottes trépidances.

J'ai connu des mutismes terribles
mortels, exsangues et stupides
dans une conscience désespérément vide.

Il me fallait passer par ce creuset
pour retrouver un mouvement de vie
qui soit vraiment de mon lit.

Depuis lors, dans le silence, j'ai découvert
les harmoniques de mon existence
et l'inédit de mon propre mystère.

J'ai trouvé l'ami le plus attentif
le lieu de mes aveux décisifs
et une antenne apte à toutes les ondes.

Ceux qui prétendent vivre au «boutte»,
ont-ils jamais fait le tour d'eux-mêmes
avec cette patience qui suinte goutte à goutte?

Il est plus difficile
de libérer le silence que la parole,
en ces temps de disputes folles.

Et la parole cessera d'être stérile bavardage
pour devenir expression forte d'une engageante lucidité
quand le jugement de conscience sera mûr et libéré.

Plusieurs craignent cette ascèse
Pourtant, elle peut tremper leurs trésors intérieurs
et vaincre les pires rouilles du coeur.

● LA NUIT, TEMPS DE L'ESPRIT

Les hommes de ma civilisation ont peur de la nuit
Ils l'illuminent, l'habillent, la maquillent.
Un peu comme la mort qu'on nie ou oublie
dans de faux salons de jonquilles.

On me dira qu'il en est ainsi depuis toujours.
Toutes les nuits sont peuplées de cauchemars.

Même la science nous l'a révélé à son tour.
Il nous faut donc apprivoiser ces monstres de la mort.

Je soupçonne ici une secrète complicité
où l'éros cède au thanatos.
Il est d'autres façons de vivre ses nuits.
Mon frère, sais-tu t'arrêter
en fin de soirée?

Les phantasmes ont beau jeu
quand tu leur livres en vrac
les combats du jour.
Il ne s'agit pas d'éteindre le feu,
mais de cultiver une braise d'amour.

La braise d'un foyer intérieur
qui redonne à l'âme sa chaleur.
La braise d'une clarté d'esprit
qui ne brille que dans la nuit.
La braise d'une force aimante
qu'on cueille au creux du silence.

Permets-moi de te dire mon expérience:
autrefois cette veille solitaire était pour moi
moment de révolte ou temps d'ennui.
Peu à peu j'y ai trouvé l'unité de mon existence,
une paix profonde, une reprise de foi,
un creux d'espérance, une victoire de l'esprit.

Un jour, je me suis trouvé seul au désert,
dans cet environnement minéral et silencieux.
J'ai eu ce sentiment étrange et délicieux
d'entendre couler mon sang par tout mon être.
Tout se passait comme si le ciel et la terre
se retrouvaient dans le même lit,
chantant à l'unisson l'hymne de la vie.
Plus encore, j'y ai appris le don merveilleux
que les sagesses du monde appellent: conscience.
Et depuis ce temps, chaque soir, je recrée
le désert qui lui donne audience.

Méditation de yogiste ou prière de chrétien,
l'essentiel est la respiration de l'esprit.
Ouvrir les pores de son âme et conscience
à ce je ne sais quoi d'éternel et d'infini
qui accompagne notre quotidienne transhumance.
Les hommes de nos civilisations ne savent plus
vivre au creux d'eux-mêmes
cet extraordinaire Mystère
qui les relie à tout l'univers.

Je crains les apologies du charnel
chez les analphabètes du spirituel.
Tristes viveurs
qui ne savent pas la joie du veilleur.
Êtres vides
qui ignorent les plénitudes du coeur.
Ils fuient le silence de la nuit
dans le bruit, les spasmes et les cris.
Oh, s'ils savaient les richesses intérieures
que recèle le repos de la dernière heure.
Là où la personne retrouve sa totalité.
Là où elle remet en ordre une vie émiettée.

Je sais bien qu'il y a de pénibles veilles.
Ces descentes aux enfers d'une âme déchirée
ne rencontrent souvent qu'abîme et ténèbres,
miasmes et cauchemars toujours pareils.
Comment nier le drame d'une mortelle aventure?
N'est-ce pas la nuit qui nous ramène à ce pain dur?
Nuit des sens et de l'esprit.
Tantôt folle comédie,
tantôt désespérante tragédie.

Plusieurs n'arrivent pas à expliquer
cet étrange retour à l'exorcisme
de démons intérieurs qu'on avait cru liquidés
après quelques siècles de rationalisme.
Superstition? Déséquilibre psychique?
Symptôme passager? Mode d'un moment?
J'y vois davantage qu'un malaise épisodique.

Les «bleus à l'âme» deviennent trop lancinants
pour qu'on ne cherche pas des sources plus lointaines.

Après avoir été jetée dans les soutes de l'inconscience,
l'âme remonte violemment de profondeurs incertaines.
Sans culture de conscience, elle n'est plus qu'errance.
Le spirituel battu en brèche par le matérialisme
prend une folle et sauvage revanche:
fantôme nocturne d'un aveugle fétichisme.

Je voudrais plaider ici
pour cette heure de rêve éveillé
après le jour, avant la nuit,
cette réconciliation à point nommé
entre la chair et l'esprit
entre le temporel et l'éternel
entre le rêve et la vie
entre nous-mêmes et le réel.
La méditation du soir
marie l'ordre à la liberté.
C'est un second regard,
un renouvellement de lucidité.

À la première comme à la dernière heure du jour,
même par temps maussade ou folle tempête,
l'homme a le noble pouvoir de créer tour à tour
le soleil et l'étoile tout au fond de son être.
Cette orbite intérieure est pleine de poésie.
En son foyer l'aube et le soir se lient.
On y apprend la trajectoire de sa vie,
et plus encore, l'apprivoisement de la nuit.

● LES HUMBLES APPRENTISSAGES DE LA VIE

Je crois beaucoup aux humbles apprentissages de la vie.
Par exemple, cet entraînement à l'épargne.
Un point de vue bien «quétaine» en cet âge du crédit.

On est passé du bas de laine à la foire d'empoigne.
Une famille sur deux vit dans l'endettement.
Si tu as un peu d'argent,
ne compte pas sur le gouvernement.
Et puis, il y a l'inflation
qui défie toute prévision.
On est condamné à vivre au-dessus de ses moyens.
C'est donc une exigence du système lui-même.
On a même inventé la carte de crédit
pour nous permettre d'oublier jusqu'au prix.
Quel paradoxe, une société aussi programmée,
bâtie sur un style de vie improvisé !
Et dire qu'on nous parle d'une éducation moderne
qui veut développer l'auto-contrôle des responsabilités.
Je veux bien réserver mon jugement sur un plus long terme,
mais je cherche encore ces apprentissages dans la quotidienneté.
La plupart restent sceptiques
devant les vieilles vertus domestiques.
Et pourtant, la pratique soutenue de l'épargne
peut être une forme d'éducation permanente
d'une vie plus ordonnée et plus consciente.
Épargner, ce n'est pas seulement prévoir et planifier,
c'est aussi se libérer, eh oui, se libérer.
Voilà ce que les pourfendeurs de la maîtrise de soi
ont rejeté follement comme un esclavage,
sans reconnaître cet énorme poids,
que tant de petites démissions font grandir avec l'âge.

Que de tyrannies
dans cette vie à crédit !
Le désir vite assouvi
perd son ressort, son élan,
sa force de dépassement.
On me dira cucu ou puritain.
Je ne crois pas aux libertés sans mains,
aux satisfactions sans lendemain.
J'aurais l'impression d'y sacrifier

mon intelligence,
mon espérance,
et cette capacité d'un solide vouloir.
Je tiens à garder la gouverne de mon territoire,
comme le premier garant de ma liberté.
Mais je sais le prix qu'il faut payer.
Tout autour de moi chante l'imprévoyance.
La cigale moque toujours la stupide fourmi.
La Fontaine n'a pas encore été compris.
On se croyait installés dans l'abondance.
On souffrait peu de ses dépendances.
Mais comment vivra-t-on la prochaine pénurie?
Les vraies pauvretés ne sont pas celles qu'on pense.
Il faut s'inquiéter davantage des folles dépenses
que nous suggèrent tant de publicités,
comme si toute la vie était moisson d'été.
Nos pères savaient les leçons de nos longs hivers.
Aujourd'hui les fils sont devenus bien amers.
Accepteront-ils de réinterroger l'expérience d'hier?

● VIEILLIR GRACIEUSEMENT

Vieillir n'a rien de rigolo, paraît-il.
On nous souhaite plutôt de rester jeunes.
L'Amérique a mythifié ce rêve universel,
si bien qu'elle ne trouve
rien de bon dans la vieillesse.
Son vrai drame est peut-être ailleurs:
celui d'avoir vieilli trop vite,
un peu comme certains jeunes
qui ont sauté leur enfance
ou encore leur adolescence
pour anticiper les expériences des grands.
Même la science s'est mise de la partie
avec son boeuf et ses poulets aux hormones.
Nous en avions pourtant assez
des bananes mûries de force

et de tant d'insipidités congelées.
Le désenchantement est total
dans la nature comme dans la cité.
Certains ne savent même plus
s'ils sont lassés de la vie
ou la vie lassée d'eux-mêmes.
Ainsi le cancer de l'âme
serait à l'image de l'autre.

Voilà un constat partagé par plusieurs.
Comment réagit-on?
J'entends toutes sortes de réflexions
qui tentent d'exorciser le malheur
de vieillir:

> On est d'autant plus jeune
> qu'on l'est devenu plus tard.
> Qui n'a pas l'esprit de son âge,
> de son âge a tout le malheur.
> À quarante ans, on devient ce que l'on est,
> avant cet âge, on se cherche,
> après, on se fuit.

Qui donc a raison?
Bien vieillir,
est-ce avoir son âge,
ou ne pas avoir d'âge,
rester jeune ou le devenir?
Jamais le balancier s'est tant affolé.
Faut-il y voir indéchiffrable brouillage?

Il n'y a ici ni recette, ni principe,
ni même sagesse assurée.
Chacun doit inventer
son art de vivre et d'aimer.
J'ai vu des êtres mûrir avec grâce,
et d'autres devenir acariâtres.
Ils avaient pourtant pareils problèmes.
Mais le regard n'était pas le même.
Chez mes aînés heureux,

j'ai noté que l'antenne du coeur
a remplacé la lumière des yeux.
Témoins des richesses invisibles,
ils ont su développer
cette finesse attentive
aux plus subtils murmures
des êtres et des choses
comme le chêne à la moindre brise.
J'ai connu aussi des pics enneigés
qui sont restés des volcans.
J'ai vu des têtes blanches et gaies
qui réconciliaient les petits et les grands.
On ne compte plus leurs grâces :
gratuité, attention et espérance,
humour, sérénité et clairvoyance.
Phares discrets dans nos nuits.
Boussoles disponibles pour nos pas.
Simples traces pour nos chevauchées.
À notre tour, saurons-nous vivre
bellement les joies de la maturité ?

● RAPPROCHER VIE, CULTURE ET POLITIQUE

J'écoute les turluteries d'André Gagnon...
je n'en crois pas mes oreilles.
Des chansons de la Bolduc
sur les banalités de notre vie collective aliénée
recelaient une musique extraordinaire
aussi universelle qu'acculturée.
Comment avons-nous pu ignorer
cette beauté au fond de nous,
cette symphonie d'un pays à naître,
ces accords que nous croyions impossibles ?
La mélodie prend ici un sens politique
sans s'y enfermer.

Mais je retiens davantage
l'originalité de la démarche:
c'est par cette révolution culturelle
que notre vie accède à la libération historique.
Cinéastes et romanciers,
dramaturges et chansonniers
ont fait plus que savants et politiques,
animateurs et planificateurs
pour nous rendre à nous-mêmes et au monde.
N'est-ce pas la leçon de notre histoire récente?
Nous avons appris à dire et chanter,
à danser, jouer et moquer notre vie,
et par là, mieux nous aimer,
et par là, nous reconnaître une commune identité.

C'était peut-être le premier déclenchement,
le vrai dédouanement à opérer.
Eh oui, nous avons découvert
dans notre fond culturel
des richesses insoupçonnées
uniques et en même temps universelles.
Le souvenir s'est «mué» en avenir.
Notre vie n'était donc pas si bête
puisqu'elle éclate aujourd'hui
dans un pays qui nous cogne
au coeur, au ventre et à la tête.
«Avec des impatiences centenaires
des vols ronds de perdrix sur la mousse des savanes
des bruissements d'ailes d'outardes enivrées
des beuglements d'orignal enfiévré d'amour
des rires de mélèzes mouillés
des bouffées de tendresse
des gorgées de colère» (*Viateur Beaupré*)
Comme tous les peuples, nous aurons besoin
du poète pour marier notre vie et notre pays.

Beaucoup trop encore parmi nous
s'emprisonnent dans la logique de l'autre.
J'y vois la source de leur pessimisme.

Quand des esclaves idéalisent leur maître,
ils enchaînent plus solidement la liberté.
Quand ils cultivent le mépris d'eux-mêmes,
ils récoltent des guerres entre frères.
Quand ils ne cherchent plus leurs raisons d'être,
ils se retrouvent impuissants, désespérés.
Nous avons fait le tour de nos maladies,
il faut maintenant une dynamique de santé.

Je sais le piège d'une certaine souveraineté culturelle
Mais l'autre, purement politique,
peut être aussi factice.
Je ne puis séparer nos grands sentiments et nos projets,
nos idées-forces et nos vécus réels.
Les profondes émotions devant nos richesses révélées:
celles des filles du roy,
celles d'un arrière-pays redécouvert,
celles d'une explosion de talents à peine affirmés,
celles de nos exhubérances et même de nos colères,
celles de notre terre, de nos villes à regagner;
de telles émotions préparent la victoire
de la joie de vivre et de lutter
sur le mal-à-vivre dans de maladifs déboires.
La dynamique de santé commence là.

Non, nous n'avons pas fait erreur.
Notre peuple, comme bien d'autres, ne se décidera pas
à partir de nouvelles comptabilités
ou d'analyses à froid.
Je crois davantage aux flots de sang chaud
que véhiculent les indignations quotidiennes,
les dignités neuves revendiquées à la petite semaine.
Notre explosion culturelle fait éclater
les masques de nos rites officiels.
Elle libère notre vrai visage;
elle en révèle sa secrète beauté.

Jamais nous n'avons été aussi nus,
aussi vrais, pauvres et dépouillés,

aussi conscients du risque à prendre,
aussi arc-boutés devant un avenir à nous inventer.
Je renverse ici les diagnostics entendus
qui prophétisent un inévitable déclin.
Je nous sens plutôt prêts
à arquer notre véritable existence « reconnue »
pour viser résolument d'autres demains.
Les peuples avancent dans l'histoire
d'abord avec ce qu'ils pleurent ou chantent.
On a trop sous-estimé ces accords du sentiment.
Dans les moments difficiles et les grandes décisions,
ils sont presque toujours déterminants.
Quand un peuple reconnaît l'âme de sa vraie vie,
dans les chants, les drames et la poésie
qui sont nés de sa chair, et de son esprit,
comme disaient nos vieux: « Tous les espoirs sont permis ».

● SAVOIR ANTICIPER

I

L'ANTICIPATION. On dit cette qualité propre
aux génies du stade, du parlement ou du laboratoire.
Bien sûr, il y a aussi les nouveaux professionnels
de la planification et de la prospective.
Sans compter la race inextinguible
des voyants, des prophètes de toutes couleurs.
Qu'est-ce qu'on n'a pas entendu sur l'an 2000 ?
Les utopistes rivalisent avec les diseurs.
Bref, ce grand courant est à la mode.
Je n'ajouterai rien à ces chutes libres
où l'on nous offre un fil d'Ariane trop facile.
Mes convictions sur l'anticipation
sont d'un autre ordre,
plus simple, à vau-l'eau.
Il s'agit, pour moi, de commencer
à réaliser ce que je veux ou j'espère.

Anticiper, c'est donner
un corps, un visage, des mains
aux rêves du coeur
aux intentions de l'esprit,
c'est confronter son projet au réel,
c'est devancer une situation,
orienter, maîtriser une évolution,
assumer et dépasser une rupture,
imaginer et éprouver un possible.
Eh oui, l'homme est l'être des possibles.
Marx évoque, avec raison, la distance
entre l'abeille de la ruche
et le plus mauvais architecte
qui peut choisir, expérimenter, corriger.

II

On ne comprend bien
que ce qu'on a fait naître, et cultivé.
On n'aime bien
que ce qu'on a gagné.
Une certaine hyper-critique
scientifique ou politique
nous a trop souvent stérilisés.
Elle cachait des peurs inavouées
sous le décompte lucide
des conditions manquantes.
Elle reportait les risques
à un lointain futur plus favorable.
Qui n'a pas entendu
ce fréquent « oui mais »
de méfiances trop répandues :
« on va se faire avoir... »
« ça ne marchera pas... »

Le propos généreux sur la liberté
perd alors toute sa congruence.
Je vois tant de débats d'éteignoirs
qui tournent à vide ou en rond,

qui se déploient comme un concours
de lucidités décourageantes.
Chacun exerce sa finesse et son esprit
à repérer les failles de l'autre.
Les anticipateurs portent un style de vie
plus dynamique, plus politique.
Ils sont habituellement des êtres
plus mûrs, plus heureux, plus vivants.
Ils ont davantage le sens du réel et de l'histoire.
Ils savent choisir, décider, risquer.
Ils donnent au temps et à l'espace
une structure ouverte
et une économie féconde.
Rien donc de l'activiste erratique,
de l'intellectuel hésitant, du pragmatique étroit.
Trois catégories, hélas, fort répandues.
Chez l'anticipateur,
l'horizon se déplace avec sa marche
sur un sol bien arpenté.

III

Nous nous disons dans une culture expérimentale.
Chacun veut frayer son propre chemin,
aménager son cadre d'existence,
participer à des communautés humaines
plus libres, plus chaudes, plus vraies.
L'aspiration est là...
Mais combien investissent résolument
pour faire naître et cultiver
ce qu'ils voudraient expérimenter.
Ils ont plutôt le réflexe spontané
du consommateur habitué
au produit complet, tout fait, prêt à porter.
Nous avons cueilli les fruits doux ou amers
de la révolution technologique
sans avoir participé à sa genèse.
Nous n'avons peut-être jamais appris
les cheminements durs et difficiles

de ce que nous jugeons le plus valable
dans la culture, l'économie ou la politique moderne.
Nous voulons des produits parfaits
dès le premier essai.
Certains regrettent l'absence de génie, chez nous.
D'autres vouent à l'échec
toutes nos entreprises.
Mais que diable, il faudra bien nous convaincre
que des essais honnêtes
valent mieux que des critiques magistrales !
Vingt fois sur le métier remettez votre ouvrage.

IV

Nous sommes une jeune nation
pleine de ressources et de talents,
et nous avons commencé
à faire des choses assez intéressantes,
malgré certains ratés compréhensibles.
Bien des vaisseaux ont été lancés en même temps.
Il faut plus de patience pour mettre à l'épreuve
de nouvelles institutions humaines,
plus d'audace soutenue aussi.
Cette extraordinaire créativité culturelle
des dernières décennies
pourrait inspirer d'autres chantiers.
Oui, tout est jeune chez nous :
l'État, la politique, le syndicalisme
la culture et le développement.
Raison de plus pour engager
plus d'énergies au service
d'une saine croissance.

Oh ! je sais nos urgences historiques
et certains combats inévitables.
Mais je me demande comment
nous atteindrons nos grands objectifs
sans un minimum de consensus collectif
pour anticiper ce qui peut être fait maintenant.

Je ne chicane pas nos erreurs
mais plutôt notre esprit trop querelleur.
Nous n'en finissons plus de nous vider le coeur.
J'aimerais bien que nous commencions à le remplir
de ce qui peut faire vivre
selon ces desseins si souvent proclamés
sur nos scènes, nos écrans et nos microsillons.
Voilà pourquoi je plaide cette dynamique d'anticipation.

V

Ceux qui, comme moi, visent
une société bien différente
de celle d'aujourd'hui,
doivent pouvoir montrer,
par leur action et par leur vie,
l'homme qu'ils anticipent,
le projet collectif qu'ils préfigurent.
Sinon, nous perdons toute crédibilité.
Je travaille depuis quelques années
avec des ouvriers qui viennent de lancer
une coopérative de production.
Ce que j'ai pu entendre,
à gauche comme à droite,
de critiques aussi vaines qu'intelligentes.
Je ne crois plus aux discours de libération
qui ne portent aucun effort d'anticipation.
C'est pour moi un test de vérité
personnel et politique.
On ne sort jamais le même d'un essai
lucidement et courageusement tenté.
« Oui, mais l'échec peut nous
enfoncer davantage »

J'ai noté que cette objection
vient souvent de gens qui
agissent très peu dans leur milieu,
ou d'individualistes incapables

de s'engager dans une création collective.
On ne comprend certaines idées
qu'en les mettant à l'épreuve.
Ainsi, je crains des luttes contre un pouvoir extérieur,
si on ne sait pas exercer un pouvoir intérieur.
Il en va de même pour les autres réalités humaines.
Rien ne remplace donc
les essais anticipateurs, même les plus timides.
Après expérience, on connaît mieux la réalité
et le projet qui veut la transformer.
On sent mieux ses limites et ses possibilités.

VI

Il est un temps pour jeter les pierres
et un autre pour les rassembler.
Hommes de mon pays et de mon temps,
jetterons-nous le manche après la cognée?
Laisserons-nous aux prochaines générations
les tâches de la reconstruction?
Rien ne sert de pleurer le présent ou le passé.
Rien ne sert de rêver un avenir meilleur.
Le temps est venu de rassembler nos pierres,
de ne plus les gaspiller en vaines guerres.
C'est notre propre maison
qui a besoin de plus solides fondations.
C'est notre propre pays
qu'il faut vraiment habiter.
C'est notre vie réelle
qui mérite d'être mieux aimée.

C'est notre commune aventure
qui nous trace la mesure.
Oui, je nous souhaite de mieux nous aimer
et de mieux reconnaître
    nos connivences
    nos convergences
    nos concordances.

Je nous souhaite de fortes et tendres passions
aussi riches et diverses que nos saisons
aussi vives que nos printemps
aussi chaudes que nos étés
aussi colorées que nos débuts d'automne
aussi vertes que nos sapins en hiver.
Oui, je nous souhaite avant tout
du coeur
du coeur au ventre
du coeur à revendre.
Le pas, le regard ou la main
le suivront bien
sur le chemin
d'une anticipation entreprenante.

NOTE

• DE L'OBSESSION DE LA MALADIE À UNE DYNAMIQUE DE SANTÉ

La santé, comme la température, occupe une grande place dans les conversations quotidiennes. Et ce coefficient d'intérêt ou d'inquiétude augmente avec l'âge. Je voudrais m'attarder un moment sur cette question, moins pour elle-même que pour ce qu'elle révèle chez les individus et dans la société. Après l'argent, c'est peut-être le meilleur révélateur des attitudes profondes.

Une société « médicinale »

D'une enquête à l'autre, les opinions des citadins modernes ne se démentent pas : c'est toujours la santé qui vient au premier rang des préoccupations. Mais quelle santé ? Il s'agit plutôt d'une peur obsessionnelle de la maladie. On veut les meilleurs soins, les plus efficaces médicaments et des médecins disponibles. Mais combien ont une dynamique de santé? Voilà, peut-être, la plus juste parabole de notre société que tant de critiques disent malade. On dénonce des malaises, des problèmes et on réclame des médecines politiques ou autres. Tout le monde se met à la thérapie. Recherches et techniques sont la plupart du temps en fonction des problèmes à régler.

Par ailleurs on sait peu de choses sur les dynamiques de la santé individuelle et sociale. Cet état de chose a des sources souvent peu identifiées, par delà le constat d'une certaine crise. Les explications les plus fréquentes se limitent aux symptômes: déséquilibres d'une évolution trop rapide, culs-de-sac d'une croissance économique aveugle et que sais-je encore. On reste ainsi toujours en clinique pour diagnostiquer des «problèmes». Partout, au travail, à l'école, au parlement, dans les media. Tel groupe réclame une enquête. Des spécialistes sont convoqués pour résoudre le litige. Chacun y va de son indignation dans une ligne ouverte ou ailleurs. J'ai l'impression, au bilan, qu'on réagit plus qu'on n'agit dans cette société médicinale, curative.

Une société médicinale et aussi un *homme médicinal* obsédé par ses maux, ses hypothèques et ses craintes, tout occupé à trouver le bon remède; il paie de lourdes assurances pour parer au moindre pépin. Si une difficulté surgit, on lui offre toute une gamme de thérapies, même celle d'un généreux crédit! Nos solutions médicinales coûtent très chères. Pas seulement chez le médecin ou chez le psychiatre. Pas seulement dans les firmes-conseil. On paie grassement le mystique ou l'astrologue professionnel qui sauvent du mal mystérieux... ce je ne sais quoi qui ne va pas... et auquel on attache son salut. Beaucoup de gens étouffent et veulent se libérer. De quoi? Pour — quoi? Ça, c'est moins clair. Justement, parce qu'on ne sait pas la santé.

On peut isoler un mal, le regarder, le pleurer ou le soigner, mais la santé, comme la vie, ne saurait être maîtrisée par une technique, ou même une science. *Il y a ici une entièreté que notre société occidentale a défaite*. Celle-ci a tout soumis au laboratoire qui isole le virus de son contexte naturel d'existence, de son milieu vital. Je ne veux nullement bouder les découvertes parfois sensationnelles qui ont permis de vaincre des maladies tragiques. Mais poursuivie unilatéralement, une telle démarche a généré une mentalité pharmaceutique. On en est venu à miser presqu'uniquement sur l'intervention clinique, sur les techniques en laboratoire, sur les substituts chimiques artificiels. Chacun traîne sa trousse de pilules. L'une ou l'autre est efficace pour tel ou tel malaise. On a même des succédanés de vitamines et d'essence de fruit. Peu à peu se développe en tout domaine une psychologie de la solution curative... à la portée de la main... instantanée.

Vraie et fausse santé

La santé est d'un tout autre ordre. Elle n'existe que dans une «économie de vie». On ne peut la nommer comme une maladie. Au fait, «la» maladie n'existe pas comme telle. Il y a une ou des maladies... même généralisée comme le cancer. En l'occurrence, c'est une fonction particulière qui est bloquée, divertie ou atrophiée. Il en va tout autrement de la santé qui échappe à la rationalité fonctionnelle et spécialisée de la science ou de la technique. La santé, c'est tout un ensemble vital, *naturel* et culturel, capable de lutter contre différents maux, capable de régénérescence et de fécondité. On le comprendra mieux en démystifiant certaines conceptions erronées.

Chez certains, la santé est une vague absence de maladie. Chez d'autres, elle est une chance, un heureux hasard par rapport à la maladie qui appartient au monde des fatalités inévitables, un peu comme la mort. Enfin, quelques-uns croient qu'ils ont «hérité» d'une bonne ou d'une mauvaise santé. «Tu vivras longtemps comme tes parents et tes grands-parents».

Bons soins et excellents remèdes, chance ou héritage, absence de malaise ou «nature forte» ne nous disent pas grand-chose sur une vie saine. Ces conceptions ont en commun la méconnaissance de ce que j'appelle une dynamique personnelle et sociale de santé. Certains croient avoir trouvé la solution avec tel régime ou tel exercice: jogging, méditation transcendantale, cuisine naturelle. Mais c'est trop souvent la même obsession médicinale ou la même attitude-technique-thérapeutique qu'on retrouve chez eux. Peu importe s'ils donnent à leur démarche un statut philosophique ou religieux de salut global. Par exemple, le terme naturo*pathe* est symptomatique!

Une dynamique de santé embrasse l'entièreté d'un contexte et d'un style de vie. Elle part du milieu particulier à un individu et à une collectivité. Elle doit être aussi culturelle que naturelle. En ce domaine, je me méfie des solutions empruntées à l'Orient, sans pour cela y refuser une certaine inspiration. Mais je m'inquiète davantage de nos travers occidentaux, par exemple, celui de croire qu'on peut transposer une technique des choses dans une philosophie de la vie. Combien d'étudiants sortent de l'école avec une aptitude minimale à connaître et à maîtriser leur environnement quotidien de travail, de loisirs ou de résidence! Des connaissances pour l'esprit et des sports pour le corps ne créent pas d'eux-mêmes un «esprit sain dans un corps sain». Ce proverbe garde toute sa vérité et surtout sa pertinence par rapport à cette mentalité occidentale qui sépare avec de savantes techniques ce qui est tout un et indissociable dans la vie.

Une pédagogie à inventer

Je m'attarde au binôme santé-maladie, parce qu'il m'apparaît le plus révélateur de cette dislocation de l'expérience humaine qui n'est pas étrangère au mal-de-vivre chez les civilisés d'aujourd'hui. Les sciences tout autant que les politiques modernes ont failli non pas dans ce qu'elles ont fait, mais dans ce qu'elles ont ignoré. À savoir: une économie intégrée de la vie, de l'homme total. Au moment où on redécouvre l'urgence de réassumer l'économie unifiée de la nature, on devrait investir davantage pour retrouver l'intelligence de ce qu'est une expérience humaine saine dans les conditions inédites de l'univers urbain et technique actuel.

Je plaide ici pour une recherche pédagogique qui apprenne à prendre en charge l'ensemble de sa vie. Je ne crois pas que les pédagogies développées pour les hommes malades ou en crise puissent suffire. Elles permettent le plus souvent de vivre avec ses maladies, de mieux les connaître, de mieux les soigner. Freud lui-même disait que tout est à faire à la suite d'une thérapie. Je ne veux pas sous-estimer ces recours, mais en signaler les limites.

On a tellement moqué dans les critiques récentes tout ce qui s'appelle normal, *qu'on a perdu tout sens de la normalité*. Les hommes sains ne sont pas intéressants dans la vie comme au théâtre. Il faut être «pogné» pour être de son temps. La boucle critique est parfaitement nouée quand on amène la société au tribunal pour l'accuser de générer toutes les maladies.

Si vous renvoyez les hommes à l'exercice d'une liberté responsable, on vous dira un vieil humaniste dépassé. Si vous parlez de discipline et de maîtrise de soi, vous serez accusé d'être un moraliste castrateur ou un autoritariste qui veut restaurer l'Ordre à tout prix. Si vous faites appel à l'effort, au courage, à une certaine austérité, vous êtes un masochiste religieux obsédé par l'esprit de sacrifice et par le péché. Si vous suggérez un quelconque entraînement moral, vous êtes un compulsif qui ne sait pas vivre, un volontariste stupide.

Les quatre composantes

Bien sûr, on ne met plus l'accent sur les mêmes valeurs. On insiste, par exemple, sur l'autodétermination, sur l'autodéveloppement. J'y vois un progrès indéniable de la conscience. Mais a-t-on la pédagogie et le style de vie correspondants? L'exemple de la santé est encore ici très éclairant. Un tel cherche des motivations déterminantes ou des techniques efficaces pour arrêter de fumer, pour moins boire ou manger. Seul, le spectre de la maladie pourra, en bien des cas, déclencher une décision. Celle-ci ne viendra pas ici d'un savoir-vivre intelligent et bien finalisé, ou d'une auto-éducation de soi-même. Certains réclament une médecine préventive plutôt que curative, comme si la prévention ne venait pas d'abord et avant tout des patients.

Nous avons rejeté les vieilles pédagogies qui structuraient la vie dans un ensemble cohérent de rites et de rythmes. La question pédagogique principale, aujourd'hui, ne réside pas dans le déplacement des valeurs, mais dans le refus d'une pédagogie globale de l'existence et dans l'inconsistance du contenu humain visé. Il y a autant de techniques que de malaises identifiés. Mais l'existence consciente comme telle n'a plus le moindre canevas pour révéler sa trame particulière. Je ne parle pas d'un canevas unique pour tout le monde, comme c'était le cas autrefois, mais un canevas qu'on a soi-même tracé patiemment avec ses ressources et celles de sa culture, de son milieu, de son temps.

Il y a tout un monde entre un régime de vie qu'on s'est tracé lucidement, librement et un régime imposé par une ordonnance médicale. On touche peut-être ici ce qu'est une dynamique de la santé par rapport à une solution médicinale. La comparaison montre bien que nous sommes les seuls capables de nous bâtir une santé, même si nous avons besoin des autres (professionnels, équipements sociaux, etc.) pour vaincre telle ou telle maladie. Je veux être clair: la vraie santé, c'est une dynamique unifiée et féconde de l'existence, une dynamique que l'on développe soi-même. Les techniques, à ce niveau, sont bien secondaires, alors que pour les maladies elles jouent un rôle plus important.

Peu à peu, par touches, nous arrivons à cerner ce que j'appelle la dramatique de la société et de l'homme «civilisés» dans les conjonctures présentes. Nous avons telle ou telle médecine pour telle ou telle maladie, *mais nous ne savons pas vivre en santé, parce que nous n'avons plus de philosophie et de pédagogie pour notre expérience humaine toujours une et indissociable.*

Nous n'avons pas non plus de régime de vie qui correspondrait à la nouvelle aspiration d'autodétermination et d'autodéveloppement. Il n'y a qu'à nous regarder vivre. Enfin nous n'avons pas de spiritualité pour unir intelligemment et effectivement nos manières propres de vivre, de penser et d'agir. Cette dramatique révèle donc à rebours les composantes d'une dynamique de santé qui implique une philosophie, une pédagogie, un régime de vie et une spiritualité[1].

1. Je reviendrai sur cette question complexe dans la dernière partie de l'ouvrage.

III

DE QUELQUES COLÈRES

La plus subtile folie se fait
de la plus subtile sagesse.

MONTAIGNE.

● LES PURS

Je ne supporte pas les purs.
C'est viscéral.
Les purs à droite ou à gauche.
Croyants ou incroyants.
Moraux ou immoraux.
Le bien ou le mal intégral.
À niveau d'homme, c'est la pire perversité.
Même les saints n'ont pas eu pareille prétention.

J'ai une autre idée de l'homme
et de l'histoire.
Mon vieux père en mourant m'a dit:
«Tu sais, j'ai fait mon gros possible».
Il n'avait jamais joué le héros.
Il savait ses limites, ses échecs.
Mais quelle dignité
dans cette humilité!
Il avait fait de son mieux.
Toute une vie d'essais honnêtes,
marquée de bons coups et de ratés.

Voilà l'humain attachant
qui va au bout de lui-même,
mais en laissant la vie ouverte
au dépassement, à l'espérance,

au besoin de l'Autre.
Il en va tout autrement
chez ceux qui séparent le monde
en mains blanches et en mains sales.
Un tel moralisme manichéen a érigé
bien des barricades au cours de l'histoire,
des oppositions insurmontables,
de terribles cercles vicieux.

Mes préventions contre les purs
« sourcent» aussi de mon propre sous-sol.
J'ai mis tant de temps à me libérer
de la scolastique et du catéchisme.
Or je retrouve aujourd'hui sur ma route
des pourfendeurs de la chrétienté monolithique,
qui la reconstituent en politique
avec le même esprit catéchétique.
Des esprits qui ont trouvé
l'unique explication,
la solution,
la vérité.
Fût-elle présentée «modestement»
comme *la* grille d'analyse
qui peut tamiser tout le réel.

L'homme, l'histoire, la vie
sont à la fois trop riches et ambigus
pour s'enfermer dans une seule raison.
Loin de moi le refus de vrais partis-pris,
mais je tiens tout autant
à la recherche des divers possibles,
et aussi au sens du possible.
La sagesse populaire évoquée plus haut
sait bien flairer les faux absolus.
Elle ne confond jamais simplicité et pureté.

Nos vieux «sacreurs», le coude levé,
se moquaient de l'angélisme des curés.
Après la mort de grand-mère,

mes tantes conseillèrent à leur père
de marier Dorina :
« une bonne personne
bonne comme du pain blanc
presque sans défaut».
D'un air gaulois, il répondit :
« Je les aime plus crasses que ça ».

Les puretés morales ou politiques,
les puretés idéologiques ou scientifiques
ont évacué cette odeur humaine
de chair et de sang ;
cette mixture de démence et de sapience
dans nos petites et grandes aventures ;
ces disputes tantôt drôles, tantôt sérieuses
de l'animal et du raisonnable en nous.
Même la Bible maintient le paradoxe
en parlant autant de crotte que de ciel.
Et l'Évangile nous met en garde
contre le purisme pharisaïque,
sans pour cela minimiser
la purification du coeur.

La pureté revêt parfois d'étranges masques.
Ce peut être le culte de l'immoralité,
de la laideur, de la vulgarité.
Un certain art y a même trouvé
ses lettres de noblesse.
Et la porcherie est entrée dans le panthéon
des snobismes salonnards.
On a vu la suite en Californie...
Une contre-culture et une bourgeoisie
se sont rencontrées dans un combat sanglant,
terminé par de « purs » sacrifices humains.
Le satanisme de jeunes occultistes
tuait dans le sang l'immoralité nantie.
Cercle vicieux du mal intégral, à l'état pur.
L'idée est passée du cinéma à la vie,
du rêve de Polanski aux actes des assassins.

Mais il y a des puretés plus subtiles,
celle de l'homme moyen, du monde « ordinaire »,
qu'utilise une certaine propagande.
Vous savez : l'immaculée conception
du peuple, du prolétariat.
Ce genre de politique abolit l'histoire.
Il n'y a pas de peuple démocratique
sans auto-critique.
La démagogie à babord ou à tribord
a bloqué tant de libérations historiques.
Même des politiques généreuses
peuvent réduire à une masse informe
la riche diversité d'une collectivité,
fût-elle une classe dépossédée.
La classe, le peuple deviennent des catégories abstraites
dans un ciel idéologique pur et sans bavure.
On ne sait plus reconnaître dans le milieu réel
les conflits et les dynamismes internes,
les originalités culturelles,
les divers leaderships.
On aboutit ainsi à une pureté de médiocrité,
d'égalité mathématique, de moyenne insignifiante.

La dernière pureté, et non la moindre,
m'effraie plus que toutes les autres.
J'ai tellement peur de la cultiver
avec de secrètes complicités.
Elle prend à son piège
surtout les moralistes.
Leur propos laisse entendre,
du moins suggère
qu'ils sont les seuls êtres moraux.
Je ne puis me consoler en pensant
que bien des hommes se conduisent ainsi,
quand ils jugent le « monde » d'aujourd'hui.
Je me défends d'être un professionnel de la morale.
Est-ce réaction contre un héritage clérical ?
Plusieurs des miens ont besoin d'un tel exorcisme.

Il y a tant de purs au milieu de nous,
de nouveaux clercs qui s'ignorent!

La vraie morale se moque de la morale
Faut-il pour autant revenir au philosophe pessimiste:
«Les hommes sont meilleurs et moins bons qu'on pense»?
Un autre visage de la pureté sceptique ou fataliste
qui ne croit pas au changement de l'homme, de la société.
Quand l'horizon de pureté appelle libération,
risque, lutte et amorisation,
il devient instance historique de dépassement.
Tout le contraire des fausses puretés
qu'on s'octroie au départ,
qu'on n'a jamais dédouanées
et qu'on retient aux amarres.
Des puretés exsangues et frileuses.
Des puretés raides et mécaniques.
Des puretés acidulées et orgueilleuses.
Des puretés tristes et cyniques.
Trop de purs nous ont floués.
Je veux maintenir cette cote d'alerte
au coeur de l'indéniable dignité
que porte la recherche d'une vie parfaite.

● LES IDOLES

La cité séculière s'est débarrassée des dieux
Mais elle produit des idoles à la chaîne.
Le culte des vedettes se démultiplie
dans ce panthéon quotidien des media.
Certains hommes publics acquièrent
un statut mythique grâce à ces nouvelles techniques.
Des idoles, il y en a pour tous les goûts:
Du guru transcendental à la gourgandine bien tournée

Du bandit célèbre au champion de l'arène
Du héros révolutionnaire au chef rassurant
Du gagnant de la loto au riche Onassis.
Étrange paradoxe dans une démocratie critique
qui plaide la cause du « monde ordinaire ».
Par le micro ou l'écran, un être insignifiant
peut acquérir une taille de géant.

Après tant d'ironies iconoclastes sur la religion,
on voit réapparaître fétiches,
totems, amulettes et tables tournantes.
L'astrologie grandit avec l'astronomie.
On a cru la lune démystifiée,
et pourtant la carte astrale reste
maître du destin de plusieurs civilisés.
Mais d'où vient donc cette remontée
de la superstition et de la divinisation ?
Le sacré refoulé dans l'inconscient
rejaillit en pulsion aveugle et sauvage.
Les cris se font plus spirituels.
S.O.S. d'une âme malade, incapable de se dire.
Tant d'acides abrasifs ont corrodé le coeur.
L'homme inconsolable cherche ailleurs
un supplément d'âme, une raison de vivre.
Entre une mer désespérément agitée
et un ciel sans cesse ennuagé,
on finit par douter de sa voile.
Le réflexe idolâtre refait surface
et réinvente la « bonne étoile ».
Fatal destin qui revient sur la place.

L'idolâtre est l'homme d'une seule référence :
l'ordre ou la liberté,
la révolution ou la tradition,
l'individu ou la collectivité,
le dogme ou la vie,
la science ou l'art,
c'est avec une idée unique et absolue
que s'imposent tyrans et terroristes,

inquisiteurs, prosélytes et propagandistes.
C'est l'homme unidimensionnel
enfermé dans son regard fixé, figé.
Peut-être est-il « l'image taillée »
de la société qui le porte.
La cité moderne a chassé les esprits
et désenchanté les primitives sorcelleries.
Ce fut le règne des machines et des techniques.
Il ne restait que les rêves de la science fiction
pour exprimer l'homme spirituel et poétique.
Désormais, d'en bas viendra l'aliénation.

Notre civilisation occidentale s'est rétrécie
dans l'étroit canal d'un vulgaire matérialisme.
Un seul corridor politique et quotidien :
l'argent et le pouvoir ;
la production-consommation.
On a parlé d'un nouvel évangile technologique.
L'instrument cachait l'objectif idolâtre :
le pouvoir absolu des intérêts investis.
Mais ne nous leurrons pas.
Combien, à gauche comme à droite,
dans leur domesticité,
adorent le même veau d'or.
Leur vie réelle dément leur propos public.
Il y a plusieurs idoles, mais un seul temple.
Sans s'en rendre compte, des esprits critiques
ont adopté la même logique unilatérale
pour s'opposer au panthéon dominant.
Ils mythifient leur opposition
dans une nouvelle idolâtrie déguisée.
L'idole cachée dans un dessein de libération
est aussi aliénante que l'oppression intériorisée.
L'histoire, ici, ne manque pas de leçons.
Le complexe de César a bien des visages.
Ce peut être le parti, l'État, la nation.
De nouveaux dogmes s'imposent à la conscience.
Et l'aliénation n'a fait qu'un virage.

On procède différemment à la confession,
au lavage de cerveau, à l'aveugle obéissance.

La contre-culture favorise l'anti-héros.
Elle a perçu l'omniprésence et la polyvalence
d'un pouvoir multiforme dans nos os.
Mais cette anarchie tranquille ou en transes
cultive parfois la contradiction
jusqu'à l'obsession.
La liberté critique a d'autres exigences :
une dignité de soi, un respect des autres,
une pensée riche, structurée et auto-critique,
une lucidité face à ses amis comme à ses ennemis,
une ouverture radicale au monde des possibles,
un jugement cohérent capable de renouvellement,
une honnêteté qui reconnaît ses propres erreurs.
Sinon l'anarchie devient elle-même idole.
Mais comment ne pas reconnaître
chez ces porteurs de la contre-culture
la volonté farouche, noble et fière
de défoncer même les invisibles murs
des prisons intérieures sans cesse reconstruites ?
Retenons ces justes intuitions d'une libération permanente,
d'un esprit ouvert à une vie plus gratuite.
L'enfermement mental et culturel est générateur de démence.
Il est plus contraignant que l'oppression politique,
le conditionnement technologique, la domination économique.

Ma propre tradition spirituelle
m'amène beaucoup plus loin
dans cette lutte contre les idoles anciennes et les nouvelles.
Les unes et les autres évoquent le néant et le rien.
Elles portent un ferment de mort, d'anéantissement.
Elles soumettent l'homme à ses propres créations.
Leur vanité passe comme le vent.

Leur présence muette tue la parole et la raison.
Leur force extra-terrestre enlève au réel son élan.
On a accusé d'athéisme les chrétiens des temps premiers
parce qu'ils rejetaient les êtres et les choses déifiés,
parce qu'ils refusaient de plier genoux
devant l'autorité, la loi et les tabous.
Mais cette conscience démystificatrice
qui défendait sa dignité jusqu'au martyre,
s'alimentait à une foi libératrice.
Cette foi a poussé jadis un petit peuple fier
à prendre le large de la mer et du désert.
Pauvres, mais libres et debout
plutôt qu'esclaves couchés et bien nourris,
ces hommes n'ont jamais plié genoux
devant le dieu Pharaon et sa tyrannie.
De même, dans la vieille Rome païenne,
d'autres croyants ont menacé le système.
Ni esclaves, ni maîtres,
mais de plain-pied, des frères.

Ni domination ni sujétion entre les hommes
Et pour ce faire, le dernier sera le premier,
Le pauvre, l'ennemi, l'étranger...
Oh! scandale... que cette utopie d'une libre égalité radicale!
Babel, Sodome, Babylone, Jérusalem ou Rome
ont tout simplement changé de noms
pour offrir les mêmes dieux et démons.
Les visages de la Bête sont multiples.
Mais il s'agit toujours de pareils disciples.
Tout ce mal commence dans la démence humaine
Nous séparons des Vietnamiens
Nous fermons des Suez
Nous barricadons des Ulsters
Nous abandonnons des Haïtiens
dans notre propre maison.
Rien ne changera
si on ne tue pas

l'idole au fond de soi.
N'est-ce pas la leçon de Jérusalem
qui résume bien l'histoire humaine?
Trois mille ans de guerre,
et une impossible paix.

Un Homme a refusé cet ignoble enfer
en brisant les idoles du temple et du palais.
Cet homme n'était rien
dans le grand empire romain.
Il a jeté une nouvelle semence en terre.
Et puis ce petit quelque chose:
un grain de sel, une mèche, un dessein
pour corroder, faire sauter ou soulever
le vieux monde des portes closes.
Je tiens de Lui cet amour
doux et violent de la liberté.
Il a même démystifié en moi
le démon le plus subtil:
cette obsession de la culpabilité
cet opium d'une condition vile
enferrée dans un destin de péché.
Et je me demande parfois
si nous l'avons vraiment compris.
L'incroyance la plus aveugle et fatale
est cette démission résignée
devant l'idole du mal.
Voilà l'ennemi de la liberté!

● DYNAMIQUE DE LA TRANSGRESSION

D'aucuns s'inquiètent du chaos actuel.
De gauche et de droite on veut opposer
l'ordre nouveau à l'ordre établi.
Moi-même comme les autres,
je sens le besoin d'une mise en ordre.

Et pourtant je flaire ici une vieille peur
devant les risques de la liberté.
L'histoire est davantage portée
par une obsession de l'ordre à tout prix.
La lettre a étouffé si souvent l'esprit.
On n'a retenu que la pulpe du fruit.
Ceux qui ont voulu mordre à pleines dents
la pomme de l'amour et de la vie,
sont apparus comme des viveurs indécents,
des irresponsables, des tricheurs,
ou encore de pauvres et infames pécheurs.
Un certain monde religieux s'agite:
l'homme moderne a perdu le sens du péché.
La morale, les lois, les institutions
les codes, les moeurs et les traditions
sont plus que jamais menacés.
C'est la remontée anarchique des passions.

On va m'accuser de blasphème, de concussion,
en me voyant prendre le contre-pied de la morale reçue.
Oh! Ce n'est pas par esprit de contradiction.
Je veux montrer le sens humain du péché voulu,
sur le terrain même de mes interlocuteurs scandalisés.
Allons tout droit au drame central
de notre éthique chrétienne occidentale.
Il s'est noué dans la genèse du monde
à l'Éden de l'ordre érigé en âge d'or.
Les cultures chrétiennes traditionnelles
ont tout expliqué à partir de ce péché originel.
Elles ont oblitéré cette admirable tragédie
sans vraiment la dédouaner d'un sens obvie:
Adam est devenu homme par son libre péché.
Était-il vraiment heureux dans l'ordre pur
qui lui nouait le coeur et la conscience?
Je n'évoquerai pas ici le droit à la dissidence,
ou le recours rapide au salut qui rassure;
mais l'avènement de l'homme terrestre
dans la recherche de sa vérité.

J'ai humé tant de relents funestes
dans ces morales désincarnées.
Il ne restait alors aux passions
que la voie de la transgression.

Oh ! heureuses fautes,
avec vos frissons, vos rêves, vos rages de fauves.
Vous avez donné chair à notre humaine itinérance.
Vous avez gonflé notre charnelle expérience
Vous avez brasillé et irisé notre esprit
Vous avez dévidé le fil de nos vies
Vous avez écorné nos censeurs rigoristes
Vous avez encorné les faux sages casuistes.
Jadis l'ombre des interdits
mettait en relief les plaisirs de la vie.
Depuis la levée des tabous,
les aventures humaines se sont aplaties.
Plutôt qu'une explosion des passions
on a connu davantage leur érosion.

Péguy parlait jadis du péché d'habitude.
Je crains davantage une vertueuse platitude,
dans ce monde déjà aseptisé et manipulé
par de savantes techniques de conditionnement.
Je comprends un peu la recherche anarchique
des générations montantes.
Elles savent leurs cités mortes ou décadentes,
aveuglément unidimensionnelles,
encore plus que l'était l'ordre d'hier.
Il y a un je ne sais quoi de sain et de sage
dans cette crise subjective et sauvage
que d'autres, après Pavlov, considèrent
comme un « réflexe de liberté » ,
comme une sorte de dysfonction marginale.

« Non, disent les nouveaux déviants,
nous voulons réintégrer la fête des fous
dans cette cité bête à pleurer
avec son unique rituel commercial.

Vous vous dites du monde libre... tolérants.
Permissifs... mais sans ressort ou allant.
Vous faites l'amour et de l'argent
comme jadis on faisait la charité.
Quand tout à coup vos intérêts sont menacés,
vous identifiez la justice à la légalité,
l'ordre établi à la vérité,
le contrat libéral à la juste société.
Le monde a trop besoin de fards,
de grimage, de cosmétiques, de pet-à-l'oeil
pour soigner ses apparences
et cacher son insignifiance.
Au moins les tabous d'hier
suggéraient quelque fascinant mystère.
Un enchantement du coeur
explorateur et transgresseur».

Voilà le plaidoyer d'une génération
sans ordre et sans péché.
Elle dit bien la maladie de notre civilisation.
Mais il lui manque une structure dramatique
pour vivre ses passions.
D'où ses angoisses indéfinissables
ses incohérences qu'elle ne peut nommer.
Il faudrait inventer de nouvelles dialectiques,
retrouver un certain rythme,
de la vie ordonnée et désordonnée.
La tragédie du péché et de la grâce
tissait une toile, traçait un canevas
pour situer libertés et responsabilités.
Rien n'est plus décevant
que de ne plus savoir
ce qu'on respecte ou transgresse,
ce qu'on veut maintenir ou changer.
Personne ne peut s'épargner le façonnement
individuel et social
de cohérences vitales
avec des brèches de dépassement.

Répétons-le, la pire des culpabilités,
c'est celle qu'on ne peut nommer,
ni dénouer, ni démystifier.
J'en veux pour preuve le cul-de-sac
rarement avoué
de tant de psychanalyses et de thérapies.
Le coeur de l'homme et du monde
échappe aux synthèses fictives des systèmes.
Autrefois, il s'en libérait par le péché.
Celui-ci, disparu, a laissé un immense vide
que les mécanismes d'analyse ne peuvent combler.
Une science prétentieuse cherche les structures humaines
de la démence et de la sapience.
Elles existent, mais elles n'atteignent pas l'essentiel
de ce passionnant drame spirituel
avec ses gratuités et sa riche polyvalence.

Au plus profond de ma tradition chrétienne
j'ai appris à ne pas chercher l'explication du mal
mais à vivre le libre amour jusqu'au scandale
de la folie, du péché, de la mort du système.
Jésus a contesté la tradition, la famille, la propriété.
Il a défié la sagesse et le bon sens officialisés.
Il ne cesse de déjouer toutes les théologies.
Les contemporains n'ont pu supporter cet homme libre
devant la loi, l'autorité, le sabbat.
Eh quoi, pourquoi ne jeûne-t-il pas ?
Pourquoi préfère-t-il les prostituées,
Madeleine, la femme adultère, les pécheurs publics ?
Pourquoi choisit-il la rue plutôt que le temple,
un pécheur plutôt que quelques justes ?
Ainsi, on l'accusera de blasphémer le Dieu vivant,
de mépriser les justes, les méritants,
en promettant l'avenir aux derniers venus,
et aux hommes de la rue.
Apologie du pécheur et de son péché ?
Il faut sonder ce Message
dans ma propre expérience de croyant.

Mon espérance démente et lucide
ne liquide pas l'absurdité irréductible,
la blessure à demeure d'un mal omniprésent,
la responsabilité lancinante face à la misère,
l'incessante requête de libération sur terre.
Cette espérance folle allie révolte et prière.
Elle m'inspire risque et engagement.
Elle a une étrange puissance de renouvellement.
Elle agit même au creux du remords.
C'est ainsi que la dynamique du péché
par delà son flirt avec la mort
m'incite à parier d'autres tracés.
J'y trouve paradoxalement une aune moins mesquine,
une sagesse capable de passions fortes et fines.
Je reprends goût au salut, à la sainteté,
mais cette fois, sans émigrer
de l'humain, du terrestre, du charnel.
Mon imprévisible trajectoire
reste dans l'orbite de l'histoire.
La ramée de ma vie devient plus généreuse
de même l'aura, les ondes, les vibrations
de mes humaines relations.
Ma foi n'est plus ce balcon prétentieux
élevé au-dessus de la place terrestre
pour la juger et la condamner au nom du céleste.
La réconciliation qu'elle anticipe
présuppose des conflits vraiment assumés,
des péchés identifiés, voulus, aimés !
des attitudes qu'on avoue crottées,
des besoins de salut qui font signe à l'Autre.

Je n'ai jamais aimé les surhommes,
le stoïcien, le kantien, le nietzschéen.
Je ne blaire pas le chantage du maximum,
cette voie hérissée d'exclusives.
Le manichéisme ne cesse de renaître
sous des formes nouvelles de rigorisme,
travesti en bigoterie prude,
même chez les salauds de Sartre

ou chez Camus l'anti héros.
Il y a bien d'autres asphyxies
que l'étroitesse des dévots.
Tels un militantisme doctrinaire,
un politisme totalitaire,
un esprit militaire.
Ils ne savent pas l'humour, le rire,
la tendresse, la pitié, le sourire,
la gratuité de vivre,
le chagrin de l'amour meurtri.
Encore s'ils avaient le courage de prendre le maquis.
Ils n'ont jamais su oublier leur tête
pour découvrir leur coeur.
Ils sont tristes à mourir
ces nouveaux ascètes de la commune.
Ils cachent mal leur mépris pour la plèbe.
Ils vivent le peuple par procuration.
Voyez leurs posters d'éphèbes.
Ils cherchent surtout à culpabiliser les autres.

Le vrai sentiment du péché porte
une plus juste conscience de soi,
une lucidité plus intérieure,
une proximité de l'amour et du pardon,
un élan plus radical de libération,
une nostalgie de convivialité à réinventer,
des rapports humains à recréer.
Les explications politiques ou psychanalytiques
des maîtres modernes du soupçon
ne rejoignent pas la profondeur évangélique
du drame humain et de ses aliénations.
Et surtout, elles n'offrent aucune dynamique
à portée du coeur et de ses raisons.
Le mal de l'homme a quelque chose d'infini.
Il est l'envers d'une espérance qui porte la vie
vers des horizons que l'oeil n'a pas vus
et que l'oreille n'a pas entendus.
Mais cette brèche mystérieuse de l'éternel
est au fond de l'homme historique et charnel,

et au beau milieu de son pays réel.
Rien d'une transcendance d'évacuation.
Elle passe même par nos transgressions.

Les deux testaments sont indissociables.
Les guerres du premier, la paix du second.
La terre promise à libérer
et son au-delà donné.
Le croyant ne saurait faire l'économie
de l'Égypte et du désert
avant d'atteindre le pays du lait et du miel,
puis le Royaume impossible.
Pâque qui transgresse toutes les lois du monde
des sociétés et des religions.
Pâque qui se veut incessante libération.
En elle tout devient grâce, même le péché.
Voilà notre risque d'action,
notre pari d'interprétation
qui brisent toutes les frontières !
surtout celles du bien et du mal
de la vie et de la mort fatale
du réel et de l'imaginaire.
Risque jamais aboli, toujours difficile.
Mais pour nous, cette petite mèche ne meurt pas.
Elle alimente un amour incandescent
qui permet tout,
même ce qu'il y a de plus fou.

Serait-ce royaume en Espagne ?
Songe ou rêve vides de naïfs ?
Mais dites-moi, l'amour le plus humble
n'échappe-t-il pas à toutes les logiques ?
Et la semence, la fleur, le fruit ?
Serez-vous satisfaits des explications mécaniques ?
Je cherche vainement en elles une sève humaine.
J'aime mieux nos péchés : plus personnels, charnels et spirituels,
nos folles amours, nos chutes, nos résurrections.
Il y a un je ne sais quoi de sec, de dur, de figé

dans les incroyances que j'ai fréquentées,
un scepticisme stérilisant face à l'avenir,
une révolte à vide, enfermée.
Suis-je injuste à mon tour?
Oh! je n'ai pas le coeur à la hâblerie
quand je songe à ma pauvreté
pour dire ou vivre l'amour
de Celui que j'ai souvent trahi
et qui ne m'a jamais lâché.
Voilà la grâce du péché!

● LES RUSES POPULAIRES

Nous avons chanté nos aliénations sur tous les tons. Hier les historiens, aujourd'hui les dramaturges et les romanciers. Rien ne change au pays du Québec. Battu, résigné, le peuple d'ici serait devenu conservateur par atavisme. Une sorte de fatalité insurmontable! Quand la fierté fait soudainement bond, il y a toujours des éteignoirs pour la rabattre. Mais n'insistons pas: plusieurs ont déjà démasqué ce mépris de nous-mêmes. Le procès a assez duré. Il nous a empêchés de prospecter nos propres sources de vie. Je voudrais en signaler une... peu connue et combien passionnante! LA RUSE POPULAIRE. D'abord quelques faits récents qui la révèle.

Les ouvriers de la Regent

En 1972 l'usine de textile Regent Knitting est menacée d'une fermeture très probable. Chômage de 450 travailleurs à l'horizon. C'est la vieille couche jérômienne qui est déchirée. Je retrouve chez ces hommes le «fond populaire» qui a été le terreau de base de mon existence.

Et me voilà invité à travailler avec eux pour la relance de l'usine. Il y a un bon noyau de militants, et une vraie communauté de travail. Ce qui est plutôt rare aujourd'hui, avouons-le. Une longue aventure va commencer. Mise en place d'un comité de main-d'oeuvre. Études techniques et financières. Processus de réorganisation du travail. Cette poignée d'hommes du peuple sans instruction, sans argent, sans pouvoir va garder l'initiative de toutes ces opérations complexes de bout en bout.

Les administrateurs de la compagnie, les technocrates du gouvernement, les experts, les permanents de la centrale syndicale et moi-même, *tous nous avons été déjoués d'une façon ou l'autre par leur stratégie*. Ils ont changé nos règles du jeu, utilisé avec ruse nos informations, nos expertises, nos solutions. Ils ont gagné un pouvoir intérieur que plusieurs d'entre nous croyaient impossible. Ils ont même élaboré un nouveau projet industriel qu'ils tentent de réaliser maintenant, après avoir loué l'usine.

Les voilà en train de mettre en place une autogestion intelligente, encore mitigée. Bien sûr, ils se sont servis de nos diagnostics. Mais même les collaborateurs proches — c'était mon cas — ne connaissaient que des bribes de leur stratégie.

Peu importe l'issue immédiate de cette audacieuse percée du monde ouvrier. Il y a peut-être ici une expression d'une dynamique historique que nous ne connaissons pas assez. J'ai trouvé chez ces travailleurs une finesse, un réalisme, une pédagogie et, disons-le, une politique qui échappent aux règles de calcul, soit celle du PPBS, soit celle de l'analyse structurale néomarxiste ou que sais-je encore.

J'ai été moi-même débouté par ce savant dosage de prudence et d'audace, de sécurité et de risque. Le savoir-faire de ces travailleurs n'entre pas dans les cadres d'analyse si peu acculturés et si souvent stériles des technocrates ou des idéologues au pouvoir ou à la mode. Tout au long de cette expérience, chez la plupart des intervenants extérieurs, j'ai senti qu'ils n'avaient rien à apprendre de ces travailleurs ignorants. Ils nous l'ont bien rendu !

Les cultivateurs de Sainte-Scholastique

Au cours des années '60, j'avais été chargé d'animer une opération de régionalisation dans une zone rurale de quatorze villages entourés de fermes spécialisées : industrie laitière, culture de la pomme, etc. On devait d'abord s'entendre sur un pôle régional susceptible d'unifier ce territoire éclaté. Et ensuite déboucher sur certaines concertations coopératives tant pour la production que pour le marché.

À Sainte-Monique, l'Hydro-Québec devait exproprier une forte langue de terre pour installer une ligne de conduction. Après l'opération, des experts m'ont dit que les cultivateurs les avaient «organisés royalement», non seulement pour la vente de terrain, mais aussi pour l'irrigation de terres qui en avaient grandement besoin.

Puis vient le projet de l'Aéroport. Les cultivateurs ont été «pris par surprise». Ils ont négocié un à un. Que voulez-vous faire devant une armée d'experts et un gouvernement qui vous tombent dessus tout à coup. Après le premier knock out, les cultivateurs ont retrouvé cette première solidarité qui leur a permis jadis de bâtir des communautés vivantes. On ne réussira pas à abattre ce «bois debout», ce peuple enraciné.

Aussi rusés que têtus, ils vont regagner pouce à pouce la bataille d'une expropriation injuste. Leurs ruses ne se comptent plus. Ils ont démasqué les moindres erreurs du gouvernement et des experts. Pensons à l'utilisation très judicieuse qu'ils ont faite du cas «Pickering». Les Ontariens ont servi de fer de lance. Le gouvernement fédéral était pris en flagrant délit. Il commençait à perdre la face. À cette stratégie, les cultivateurs vont ajouter celle d'une mise à profit des juridictions conflictuelles entre Ottawa et Québec.

Regroupés autour du CIAC (**C**entre d'**I**nformation et d'**A**ction **C**ommunautaire), les leaders locaux ont gagné l'opinion publique par des moyens ingénieux très diversifiés. Je pense à des mises en scène humoristiques et mordantes devant les parlements ou lors de visites officielles d'hommes politiques. Quand le gouvernement a tenté de jouer la carte juridique des «cas individuels», il a fait face à une sorte de procès public qui forçait le tribunal à renvoyer l'instance politique à elle-même.

Bien sûr, ces victoires restent fragiles. Mais elles révèlent un fort potentiel de courage, de ruse et de force collective. Le ministre des transports avouait récemment de graves erreurs commises dans toute cette opération d'expropriation.

Les citoyens des zones grises de Montréal

Voici un troisième exemple de ruse populaire. Beaucoup d'observateurs n'ont pas pris au sérieux cette petite révolution sociale qui a commencé durant les années '60 dans les zones grises de Montréal. Le pouvoir Drapeau semblait invincible. Qui prévoyait avant 1970 un fort vote pour le parti québécois? Et dire qu'on avait considéré ces zones populaires comme des lieux de conservatisme insurmontable! Récemment, le nouveau parti municipal a fait une percée inattendue. Or, ce parti doit beaucoup au travail patient mené dans les zones grises depuis dix ans. Le candidat à la mairie, Jacques Couture, exprimait un langage, une démarche démocratique, une politique et un objectif de société qui devaient beaucoup aux milieux populaires où il avait travaillé corps et âme. Le peuple montréalais se reconnaissait dans ces petites patries, dans cette réappropriation de leur territoire, de «leur» ville. Cette campagne électorale a montré comment l'expérience des forces populaires a débordé les zones grises. Nous retrouvons ici un trait caractéristique de la ruse québécoise: la patience. Certains militants énervés oublient cette façon d'être et d'agir du peuple d'ici.

Les collectivités locales de l'Est québécois

Un grand plan de développement, savamment programmé. Le bureau d'aménagement de l'Est du Québec ne va rien épargner en techniques, en ressources, en expertises. On voit grand, on voit loin. En quelques années, on va changer complètement la vie de ce pauvre peuple marginal, oublié du progrès tranquille d'une certaine révolution. Aujourd'hui l'illusion apparaît davantage. Ne soyons pas injustes en cherchant des boucs émissaires. Voyons plutôt ce que nous enseignent les ruses populaires de ce coin si attachant de notre pays.

Les Québécois de l'Est vont refuser de brûler leurs villages. «Vous voulez nous couper comme du bois debout», «jamais, nous n'accepterons une déportation aussi incertaine». «Avez-vous cherché avec nous des solutions sur place?» «Vous brisez notre principal appui: cette communauté populaire qui n'existe plus dans vos villes défaites, anonymes, irrespirables». Au grand dam des libéralistes, de certains marxistes — ce rapprochement est révélateur —, des agriculteurs, des commerçants, des notaires, des curés font front commun. Ils formulent des projets de rechange. Telle cette nouvelle politique forestière qui commence à prendre corps. Il faudrait mentionner aussi l'aventure de Cabano.

La ruse féminine et sa nouvelle «rentrée» publique

Ce que j'aimerais retracer la petite histoire passionnante des ruses de la Québécoise! Des ruses qu'on a cru confinées à l'aire domestique. Bien au contraire, ces canaux souterrains et invisibles de la ruse ont permis aux filles du Roy d'élargir leur champ d'influence. Évidemment, les hommes se réservaient les statuts officiels. Le député, le maire, le commissaire d'école, le curé ont été bien peu conscients des influences féminines subtiles qui s'exerçaient sur eux.

Le règne sur la maisonnée et sur la parenté était moins circonscrit qu'on le pense. Il s'y brassait bien des choses d'intérêt public. Dans les milieux populaires, la Québécoise a su inventer un style de compagnonnage avec son homme. Elle était au coeur de toutes les décisions. Que d'exemples de ruse j'ai vus dans ma propre parenté!

Aujourd'hui, la Québécoise fait une nouvelle rentrée publique avec un bagage historique de ruse extraordinaire. À Saint-Jérôme, par exemple, les femmes commencent à envahir le champ des commissions scolaires. De vieux routiers politiques sont éberlués devant leur efficacité électorale, leur capacité administrative, leur flair politique et leur potentiel d'innovation originale. Un autre exemple entre plusieurs. Les femmes d'ici n'ont pas encore révélé le dixième de leurs ressources, surtout dans la sphère publique. Et les mâles effrayés n'ont pas fini d'en voir!

Un potentiel extraordinaire

Voilà autant de facettes de la ruse populaire québécoise. J'ai dû me limiter. J'aurais aimé décrire tant d'autres faits. Je pense à ces cantonniers de l'Abitibi qui ont «roulé» les programmateurs du Ministère de la Voirie. Je pense à toutes nos roublardises politiques, syndicales ou autres. Je pense à des formes trop peu connues de résistance populaire face au cléricalisme. Les curés ne tonnaient pas en chaire sans raison. Un certain fond vert du peuple leur échappait. Enfin certaines conquêtes de la colonisation ont été un chef-d'oeuvre de ruse. Telle la reprise des terres dans les cantons de l'Est.

Comment ces 60,000 colons dépossédés et dispersés au lendemain de 1760 ont-ils pu devenir un peuple bien enraciné avec ses communautés vivantes sur un territoire qu'il va appeler sa terre... et bientôt son pays? Dans l'histoire décriée de la colonisation, de la revanche des berceaux, du vieux nationalisme et de la chrétienté, il y a peut-être, en deçà d'erreurs et de démissions indéniables, une certaine ruse à redécouvrir. Quand cette ruse, aujourd'hui, se transmue en pédagogie sociale et en stratégie politique, elle débouche sur des fécondités admirables.

Je sais bien que cette force souterraine a été trop souvent mal orientée, et génératrice de démarches ambiguës. Le patronage en témoigne. Notre pauvreté éthique aussi. Mais quel potentiel se cache dans cet humus populaire? Nous ne saurions en faire l'économie dans nos projets de libération et de création collectives.

IV

RENOUVELLEMENT D'UN REGARD SUR LE MONDE

● L'ANNÉE SABBATIQUE

Je songeais depuis deux ans
à m'arrêter un bon moment.
La vie en avançant s'appesantit.
Les tâches, les liens se multiplient.
On a l'impression de « se faire organiser. »
On devient impatient et un peu las.
Tentation de fuir sur le tas?
Besoin de respirer, de se dépayser?
Le canard domestique a cet élan de liberté
quand il regarde ses frères sauvages
survoler sa trop familière cage.
Je vois des jeunes partir et revenir,
libres comme l'air, le vent et la voile.
Alors, est-ce geste d'envie ou vain désir
de quitter la rive pour de lointaines étoiles?
Non, voilà qui est trop bête
de tout ramener à un coup de tête.
Au contraire, j'ai beaucoup hésité...
longtemps... avant de me décider.
Eh oui, je craignais de m'ennuyer.
On me disait: « tu es célibataire
tu n'as rien qui t'attache
pourquoi ne pas en profiter? »
Ça me hante, ça m'agace
d'entendre ce commentaire.
Pendant tant d'années
j'ai noué de profonds liens
avec des amis, des militants, des voisins.

Mais peu à peu, je me suis fait à l'idée
de prendre une distance plus libre et plus critique
sur mes québécitudes parfois trop fatidiques.
Oh, ce n'est sûrement pas pour y renoncer.
Il y a un pays-an en moi
et aussi un je ne sais quoi
de terrien têtu et sédentaire
qui veut changer les choses du dedans
patiemment, profondément.
Résidu de notre conservatisme héréditaire?
Non, je puise ce goût du long terme,
dans mes sources spirituelles.
Je trouve mon temps trop énervé et trop superficiel.
Beaucoup d'autres portent le même diagnostic.
C'est ainsi que mon projet d'année sabbatique
a traîné longtemps dans mes lourds dossiers.
Je ne le regrette pas après coup.
Ma décision est beaucoup mieux fondée.
On n'arrête pas les moteurs
parce qu'on en a assez.
Je n'ai pas le coeur à la fuite,
ni le goût de vides langueurs.
Mais j'ai besoin de ce ralenti
pour une meilleure qualité de vie.
La nature m'enseigne ces retraits
nécessaires aux nouvelles frondaisons.
Mais quels seront les étais
de ce temps de réflexion?

Jules Renard retient ici mon attention:

«*J'ai connu le bonheur...
mais ce n'est pas ce qui m'a rendu heureux*».
Ce drôle de petit sens, dont parle Sartre,
ou cet «Autre» évoqué par les spirituels,
est au-delà et au dedans de la vie ordinaire.
Je soupçonne que la vie et son mystère
ne se révèlent pas d'eux-mêmes.
Il faut savoir les interroger.
N'y a-t-il pas des parentés

entre l'intelligence et l'existence...
certaines structures communes ?
certaines conditions de rencontre ?
Par exemple, cette dialectique
entre la cité et le désert,
le travail et la fête
le rythme quotidien et le rite sacré.
Il me fallait un peu mieux comprendre
l'économie de cette vieille sagesse,
avant d'entreprendre une telle année.
C'est un peu comme la retraite ou la mort,
vous les abordez avec la mentalité
qui a façonné votre style de vie.
Il y a ici des correspondances profondes.
Plusieurs sages me l'ont dit.
Savoir être, vivre et travailler,
aimer, s'amuser ou s'évaluer,
se faire et se refaire,
c'est tout un.
L'idéologie dominante
et celles qui s'y opposent,
méconnaissent ces humbles raccords de l'existence.
On sépare dans des univers étanches
la semaine et le week-end
le jeu et le boulot
la justice et l'amour
le public et le privé
la révolution et la sécurité
les accommodements personnels et le procès politique.
Je pourrais allonger la liste.
Elle est déjà révélatrice de l'absence
ou de la pauvreté d'une philosophie quotidienne.

Dans ce contexte critique,
je conçois l'année sabbatique
comme une autre façon
de libérer la vie ordinaire
de son cocon et de ses contradictions.
Se limiter à « changer d'air »

n'a rien de dynamique.
Ce peut être pure fuite
de soi, des autres, du pays,
d'un pays qu'on croit impossible.
Alors, on se dépayse de quoi,
quand on ne s'est jamais empaysé?
La valise prête, d'une vacance à l'autre,
avec les longs intermèdes résignés
d'une vie réelle sans espoir et sans foi.
Ô paradoxe. Ici, extra-terrestre et cosmonaute;
là-bas, touriste en quête des racines des autres.
On croit savoir écrémer le lait de leurs cultures,
mais on ne peut tirer les sucs,
la sève et la source de son propre terroir.
Voilà des démarches bien caduques,
de simples changements de miroir.
Désespéré du même visage,
on le maquille, on le transporte ailleurs.
Le proverbe: loin des yeux, loin du coeur,
est vrai pour ceux qui ignorent leur âme.
Ils se fuient plus qu'ils se cherchent.
Ils s'évadent plus qu'ils se libèrent.
Cette bougeotte est si tenace
qu'elle nous tient en surface.
Faut-il inventer des ancres?
Je crains ces boulets qui m'immobilisent,
me fixent et m'enlisent.
J'ai *une autre idée des profondeurs*
On n'y descend pas, on y remonte
avec un élan irrésistible de libération,
capable de créer de nouveaux horizons.
Ceux qui en ont fait un lieu de honte
ont voué l'âme à la mort ou aux solitudes.
Une pseudo-science n'y voit que turpitudes.
Elle agite la boue, mais ne sait la source vive.
L'âme ne serait qu'un nid de vipères
grassement entretenu par les religions.
Mais que nous laissent-ils ces esprits forts?
Leur raison jecte l'irraison.

La vie n'aurait qu'un goût amer.
Une passion inutile vouée à la mort.
Banquet-bouffe de tous les corps
où disparaissent un à un les convives.
Les vieux païens, bien avant les modernes,
avaient imaginé un pareil schéol.

J'appartiens à une famille spirituelle
qui vit de l'espérance folle
d'une libération immortelle.
Elle ne revendique aucune science.
Elle a fait le pari de Dieu et de l'âme
au beau milieu de la vie et de l'histoire.
Elle se méfie des systèmes et des techniques,
tout autant que des mythologies cosmiques.
Elle sent l'Amour capable de tout,
et l'homme plus que lui-même.
Elle ne peut définir les comment, les où,
les pourquoi, bref le « phénomène ».
Ce je ne sais quoi de mystère,
bien raciné dans notre terre,
vient féconder tous nos voeux.
Il n'est pas une sorte d'entre-deux
qui ignore les humbles plaisirs
et décourage les grands désirs.
Ma foi établit de belles connivences
entre le charnel et l'éternel
entre les dépassements et les permanences
sans pour cela aliéner la vie réelle.
Mon corps avec toute la création
est entraîné dans cette instance spirituelle
d'une extraordinaire re-création.
Un germe de résurrection fermente en nous.
Il promet une terre nouvelle
tout autant qu'un inattendu rendez-vous.
Plusieurs renouent avec ce monde de l'Esprit,
âme motrice de tout l'univers.
Nouveau mariage du Verbe et de la chair,
après tant de fausses oppositions

qui dressaient le ciel contre la terre
ou le coeur contre la raison.
Vous le voyez, ce sont les convergences
qui prennent le pas ici sur les tensions.
Nous avons trop abusé des divergences
et cultivé de fatales déceptions.
Les hommes sont las de ces guerres intestines
que de toute part on serine.
L'art moderne a montré bellement
le drame de ces tristes laideurs.
Après cette catharsis du sentiment
il faut retrouver la pulsion du bonheur.
On ne peut vivre dans une permanente critique.
Voilà ce qu'au seuil de l'année sabbatique
je me disais dans mon for intérieur.
Hier, je serais parti un peu dégoûté.
Aujourd'hui, je soupçonne de secrètes beautés
que je n'ai pas encore prospectées.
J'ai inversé bien des perspectives.
Par exemple, j'aurais pu aller chercher
un nouveau bagage d'invectives
pour condamner ma vilaine Amérique.
Je préfère investiguer le meilleur
de ce qu'on tente chez nous et ailleurs.
De nouveaux foyers de civilisation sont apparus.
La carte du monde est profondément changée.
Il nous faut un second regard plus dégagé.
Même l'auto-critique déforme notre vue,
parce qu'elle manque d'horizon,
d'accueil aux différences
et aux latentes connivences.
Dans le désarroi actuel des nations
se cache peut-être une nouvelle humanité,
plus prête à s'avouer d'abord sa vérité,
puis son destin davantage solidaire.
Que tous les hommes deviennent des frères,
c'est une utopie indéracinable,
plus que jamais à notre portée,
malgré toutes les apparences de fatalité.

Les crises parvenues à leur limite
déclenchent parfois un tel saut qualitatif.
Encore faut-il ne pas céder au scepticisme
des éteignoirs qui n'attendent plus rien
de la politique, de l'homme et de la vie,
comme si tout se ramenait à l'hommerie.
Voilà où mène l'aveugle pragmatisme.
Fier tigre dans le succès
et devant l'échec, faible poulet.
Nous avons beaucoup à apprendre
des vieilles cultures capables d'endurance,
de profondes solidarités et de longues patiences.
Bien sûr, il ne faut pas mépriser notre jeunesse,
mais elle a grand besoin de leurs sagesses.

Nous jugeons l'histoire de bien haut:
«Que d'avoir et de savoir en une seule génération,
assez pour effacer les précédentes civilisations.
Avant nous, les mythes et les maux.
Voyez l'Inde et ses retards tragiques,
les tribus sans avenir de l'Afrique,
les colonels de l'autre Amérique.
Voyez l'échec du socialisme.
Après tout... le capitalisme!»
Pourtant, derrière nos prétendues richesses,
je crains une prématurée vieillesse.
Beaucoup de stress et si peu de tendresse.
Nous avons perdu nos belles assurances.
Nous commençons à douter de nos progrès.
Mais nous maintenons l'ambivalence:
«Nous seuls pouvons renouveler le succès.
Si nous échouons, il n'y aura plus d'après».
Du même souffle, nous condamnons
nos péchés économiques, nos exploitations.
Alors compensons par plus de générosité!
Surplus, techniques et coopérants.
Tout le «kit» pour l'aide au développement.
Poussons la justice jusqu'à l'équité.
Ce qu'ils sont ambigus

ces propos de riches,
ces réflexes de parvenus,
avec une âme en friche.
Exporter, donner, enseigner, missionner!
Vendre une société dont on doute,
des modes de vie insignifiants et éphémères.
Allons donc, ils nous ont déjà démystifiés.
Ils veulent inventer leur propre route.
Nous tiendrons peut-être le salut de ces tiers,
qui nous apprendront à vivre en frères.
Ne sommes-nous pas d'inconscients esclaves
qui se croient encore les maîtres
de l'évolution du monde et de l'histoire?
Les hommes savent sélectionner leurs mémoires,
ignorer ce qui les a fait naître et connaître,
pour s'enfermer dans de bien tristes enclaves.
Les démocrates du monde libre se pensent
les seuls ferments universels de civilisation.
La Chine pourrait tous les contenir en son sein
et leur servir de bien démocratiques leçons.
Il y a des esprits ouverts dans des systèmes fermés,
et au sein d'espaces libres, des coeurs mesquins.
Combien s'accommodent de catégories piégées?
Nous les démocrates, eux les totalitaires.
De part et d'autre on se traite de fascistes.
Mais bien peu d'hommes peuvent reconnaître
les qualités de leurs ennemis
et les vices de leurs amis.
Pour la bonne cause, on devient simpliste.
Je porte moi-même tant de ces préjugés
qui résistent aux plus sérieux entendements.
Je pars à l'étranger avec une ferme volonté
d'ouvrir mes oreilles et mes yeux tout grands.
À mon âge, on se cale confortablement
dans le fauteuil de ses certitudes.
On craint les interpellations trop rudes.
On est à soi-même son propre écran.
Tout est vu à son image.
Le moi s'installe au centre du paysage.

Les goûts et les jugements sont mesurés
comme des lacets bien ajustés au pied.
Parfois il ne reste qu'une référence :
sa propre et très étroite expérience.
Il se passe d'étranges phénomènes
au moment de la quarantaine.
Certains y figent leurs idées.
Les changer ce serait reculer !
D'autres commencent à défaire
ce qu'ils avaient réussi à faire.
(Le même homme vit difficilement
deux révolutions, surtout quand
il a participé à la première ;
il refuse la toute dernière
qui le double au tournant).
Quelques-uns rejouent les dés,
les libertés sauvages de l'adolescence.
Et que dire de ceux qui sont embourbés
dans les tyrannies de leur enfance !
Mais combien reviennent à l'immédiat
de leurs routines et de leurs habitudes
comme ces ronds-de-cuir de l'État,
fidèles tâcherons dans la lassitude ?
« Études, recyclage ou thérapie,
peine perdue, disent de malins esprits,
les jeux sont faits et l'issue scellée ».
D'ailleurs on engage plutôt des cadets
dans notre mutante société.
La prospective change ses étais
avec une étonnante rapidité.
Comme si l'homme ressemblait
au modèle d'auto de l'année.
Le prétendu « choc du futur »
discarte les générations
pour de bien courtes relations.
Une certaine contre-culture
singe ce qu'elle conteste
en croyant changer la vie
par d'incessants recommencements.

On est vite en reste
quand on refuse ces idéologies
pour de plus solides enracinements.

Bien sûr, l'homme de quarante ans
doit être capable de se réinventer
dans de nouveaux projets,
et même d'inventer un autre avenir.
Mais au nom de quelle raison
nierait-il ce qui l'a fait?
L'homme ne se recrée pas, voyons,
comme les feuilles de la forêt
ou comme les modes de chaque saison.
Entre Shakespeare et Christian Dior
n'y a-t-il qu'une différence de décor?
Le premier porte la vie et la mort.
Le second n'offre que futiles vêtements.
L'un prend du coeur la mesure.
L'autre livre le corps à l'usure.
On sait des deux le plus apte au vieillissement.
Je hais toutes ces modes de sots
entretenues par les vaches de basan
qui font de Paris, New York ou Tokyo
de monstrueux salons de commerçants.
Combien de voyages touristiques de vacanciers
se résument à la tournée des boutiquiers?
On y cherche un je ne sais quoi
qu'on pourrait trouver près de chez soi.
Les douaniers qui inspectent les valises
se marrent devant tant de bêtises.
Les hommes ne trouvent jamais à l'étranger
un savoir-vivre qu'ils n'ont pas eux-mêmes cultivé.
Je ne résiste pas à la tentation de dire
qu'en voyage, certains se montrent au pire,
incapables de reconnaître l'autre différent.
Ils l'accusent de ne pas refléter leur image
qu'ils traînent partout dans leurs bagages.
Ainsi le goût de l'exotisme vire en étroits jugements.
 Plus d'une fois j'ai vu des miens

ne se vouloir qu'entre Canadiens.
Ils revenaient au pays, ulcérés,
n'ayant que déboires à raconter.
Mais que faire devant tant d'inconscience
là où on attendrait nouvelle fraîcheur d'âme?
Oui, le voyage révèle le meilleur et le pire
de ce que nous sommes au fond, fond, fond.
Peut-être faut-il d'abord se convertir
le coeur dans sa propre maison.
Voilà sur quoi je médite
avant de partir pour un long périple.

● UNE LONGUEUR D'ONDE INTERNATIONALE

Dès le début de l'année sabbatique,
j'ai commencé à vivre sous un tout autre mode.
Distancé des préoccupations immédiates,
j'ai vécu davantage à l'heure du monde.
D'abord un séjour à Rome.
Venus de tous les coins de la planète,
des hommes faisaient écho à la clameur des peuples.
J'ai entendu des cris terribles et persistants
tant au synode romain qu'à la FAO.
Rien de comparable aux commentaires souvent
entendus sur le petit écran de chez moi.
Les grandes analyses sur la crise actuelle
ne remplaceront jamais la parole vive
des êtres désespérés que vous rencontrez.
Bien sûr, les statistiques de la faim alertent.
Elles annoncent de gigantesques famines.
Les riches que nous sommes, s'inquiètent
davantage de leur confort menacé,
de leur argent dévalué, de l'abondance perdue.
Sommes-nous prêts à cette éventuelle pénurie?

Je vois des pays au bord de la faillite
et tant d'humains dressés les uns contre les autres.

Je pense aux miens quand ils connaîtront
peut-être bientôt le même sort.
Nous sommes bien plus fragiles qu'eux.
Combien d'entre nous n'ont connu que la prospérité?
Une drôle de prospérité,
celle d'esclaves gras et satisfaits,
un peu comme les Israélites en Egypte.
Qui acceptera librement le passage de la mer Rouge,
l'épreuve du désert?
On ne fait pas un tel saut
sans foi, sans ressort moral, sans fortes convictions.

Je rencontre ici à Rome, des hommes venus
d'Éthiopie, du Bengladesh, du Nord-Est brésilien,
des pauvres qui n'ont à vrai dire
que leur dignité humaine.
Mais quelle force, quelle endurance!
Leur révolte est aussi vraie que crue.
Ils ont un autre langage sur la vie et la mort.
Ils ramènent les utopies de solidarité
aux enjeux quotidiens et planétaires de la faim.
En les écoutant je me dis à moi-même:
l'homme de l'abondance a perdu le sens de tout
quand il a profané la signification du pain.

Cette solidarité radicale est-elle donc
impossible, utopique?
N'est-elle pas inscrite dans la condition humaine,
dans la nature elle-même,
dans l'éco-système de la planète,
dans les requêtes historiques actuelles?
En récusant ces nécessités,
ne justifie-t-on pas de fatales dominations
au détriment des grandes décisions
libres, solidaires et planétaires?
Au fond, il y a ici un semblable refus
à gauche comme à droite, pour différentes raisons.
Derrière ces belles logiques idéologiques
symétriquement bien opposées,

je cherche vainement les hommes concrets, situés.
Éternelles batailles d'élites
d'anciennes ou nouvelles classes favorisées.
Le pouvoir change de mains au même niveau.

Bien sûr, il y a l'exception chinoise;
mais le visiteur attentif y démêlera
difficilement la propagande et la réalité.
Serais-je fataliste à mon tour?
Pourquoi ne pas laisser toute sa chance
à cette brèche historique indéniable?
D'ailleurs les Chinois ont pu la percer seuls.
Je reste quand même distant
devant cette société fermée,
surtout en songeant aux interdépendances
obligées de la terre des hommes.
Par ailleurs, n'est-ce pas la première digue,
face à un capitalisme mondial
en train de s'étendre partout,
dans le Tiers-Monde et même dans les sociétés socialistes?

J'ai trouvé dans bien des pays
une même tendance dominante:
le primat de l'organisation techno-bureaucratique
qui masque les réels pouvoirs et rapports de forces.
Chaque pays a son « Plan »
rationnel, démocratique et généreux.
Des plans qui se ressemblent étrangement.
Structures, techniques, équipements
ont toutes les apparences de neutralité.
Mais que de fois, ils servent d'écran
pour déguiser des intérêts dominateurs
derrière d'hypothétiques progrès!
j'ai vu de telles choses
en Côte-d'Ivoire capitaliste,
en Tanzanie socialiste, et ailleurs.

Faut-il pour cela désespérer
devant un monde revenu au point zéro

dans la redéfinition de lui-même?
Il n'y a pas que des passifs
dans l'évolution récente.
Pour la première fois, peut-être,
le Tiers-Monde s'affirme avec vigueur,
dans la foulée des Chinois et des Arabes.
D'autres pôles d'influence apparaissent.
Pensons à l'importance grandissante
de l'Asie, de l'Orient.
Le centre de gravité logé en Occident
pourrait bien basculer un jour.

Ce ne sera pas le fruit d'une révolution mondiale,
d'une quelconque invasion des barbares,
d'un «péril jaune» qu'on ne cesse de mythifier
en bien ou en mal.
Un peu comme l'Empire romain,
l'Occident capitaliste se désagrège inconsciemment.
«Cinq siècles de préparation
une très courte apogée
et une longue décadence.»
Le parallèle est saisissant.
Ce qui a retardé la mondialisation du capitalisme,
ce sont les nationalismes.
Voilà un élément positif rarement reconnu.
Bien sûr, les États tiennent une place ambivalente:
leurs aveugles concurrences servent les multinationales.
Mais ce levier pourrait mieux les contrôler.
Dans les conjonctures actuelles,
chacun des pays tire ses ficelles.
D'où la fragilité des alliances
anciennes ou récentes.
En Afrique, particulièrement,
plusieurs blocs de nations se sont effrités.
Peut-être des solidarités internationales plus larges
auront plus de souffle et d'impact.
On en a vu quelques signes à l'O.N.U.

Mais au bilan, je garde l'impression
d'un monde en train de se défaire
avec la civilisation dominante.
Presque partout on est tributaires
de cette immense dislocation.
Les grands mécanismes sont détraqués :
appareils techno-bureaucratiques,
système monétaire,
culs-de-sac technologiques, etc.
Et que dire des graves déséquilibres de la nature :
une écologie profondément menacée,
une expansion géométrique de la population,
un épuisement rapide des ressources,
des famines tragiques à l'horizon.
Tout cela est bien connu et plébiscité.
Où sont les forces d'inertie ?
Qui prendra les décisions historiques ?
On est peut-être moins à court
de moyens et de solutions
que de lieux efficaces de justes décisions.
Mais le problème est plus que politique.
Il faudra un réveil
des grands sentiments humains
jusqu'ici véhiculés
par les cultures, les religions, les histoires particulières.
Je ne crois pas à un gouvernement mondial
étranger à ces lieux de l'homme.
Il serait alors un pur prolongement
de ces immenses organisations
économiques, sociales, politiques
qui ont aliéné les hommes concrets,
leur vie réelle, leur identité,
leur humanité toujours culturelle.

Les grands sentiments humains « décisifs »
naissent, se développent et s'affirment
toujours à partir d'expériences de vie,
avant de devenir politiques ou philosophiques.
N'attendons pas des décisions d'en haut ;

elles seront secondes
par rapport aux dynamismes d'en bas.
Ce n'est pas là vague idéologie populiste.
Je crois à la force des ensembles culturels et historiques,
comme lieux d'identification et de partage
de notre humanité une et diverse.
Dans ces appartenances radicales,
les hommes peuvent se reconnaître
frères et différents.
Les conflits politiques inévitables
pourront déboucher sur des solutions humaines
s'ils sont précédés, accompagnés et dépassés
par cette souche d'humanité
qu'est toute appartenance culturelle historique.
Voilà ce que trop d'idéologues et de politiques
ignorent ou sous-estiment.
L'économisme des deux grandes idéologies
qui se disputent le pouvoir dominant
m'effraie par sa réduction de l'homme.
L'homme est d'abord producteur
dans l'une et l'autre.

Soljenitsyne là-bas, Illich ici
portent cette intuition critique.
L'homme est beaucoup plus que ses oeuvres...
ses techniques et ses politiques.
Peut-être faudra-t-il d'abord le
respecter dans son vrai lieu
culturel et historique.
Ce point de départ sera plus vrai,
plus juste et plus fécond.
Nous avons à peine initié
cette nouvelle démarche
de la politisation culturelle
des communautés humaines
dans leurs lieux réels de vie,
sur leurs propres sols historiques.

Qui sait si même au plan international,

on ne réussira pas à mieux se comprendre
et à mieux s'entraider,
quand les solutions proposées
auront d'authentiques visages humains.
On cessera peut-être de se battre pour
des techniques, des biens, ou des pouvoirs,
pour échanger et confronter
de véritables expériences humaines.
Le premier impérialisme naît
de la soif exacerbée des avoirs.
La prochaine pénurie universelle
nous ramène à une sorte
de creux d'humanité
où les richesses d'être
peuvent seules générer
des fécondités neuves et solidaires.

C'est ce que m'ont enseigné
le quart-monde de chez nous
et le Tiers-Monde, au loin,
comme une des premières tâches historiques.
Dans l'expérience de pauvreté partagée,
il ne reste plus que l'humaine condition.
La dignité, la liberté s'affinent.
L'être prend le pas sur l'avoir.
La culture devient plus vitale et vraie.
La politique ne peut plus se payer de mots.
L'économie retourne à l'essentiel.
La vie retrouve son âme et son prix.
Oh je sais qu'il y a des pauvretés
misérables, débilitantes, aliénantes.
Elles nous préviennent de toute idéalisation.
J'y vois davantage un creuset
où l'humanité nue apparaît
dans toute sa vérité
dans sa requête radicale d'auto-libération.
Nous aurons beaucoup à apprendre
de certaines pauvretés
partagées, libérées et enrichies.

Elles portent une tout autre société.
En ce sens, je nous souhaite presque...
de connaître la crise qu'on annonce.
Mais je préférerais qu'on recouvre
le sens du pain, de la vie, de l'homme
par des voies de liberté
plutôt que par des consentements de nécessité.
Serait-ce une constante de l'histoire
que cette humanisation
par le creuset de la pauvreté?

• Parabole d'anticipation

La prospective «1984» de George Orwell nous effrayait jadis, malgré son caractère fictif. J'étais tout heureux de penser que jamais, de mon vivant, je ne verrais une telle société démentielle. Cela m'est arrivé au cours de mon voyage. Après avoir visité tant de pays, pourquoi choisir cet exemple extrême de l'Afrique du Sud? Au premier regard, cette société raciste, unique en son genre, semble être plutôt un vestige du passé, à la marge de l'Afrique nouvelle. Un résidu de vieux colonialisme en passe de disparaître sous la pression des indépendances agressives qui le cernent. À la suite de Samir Amin, je propose une tout autre interprétation.

Le modèle sud-africain révèle un certain visage de l'avenir mondial, si l'évolution culturelle, socio-économique et politique de l'humanité continue dans le même sillage. Les divisions, les écarts, les rapports de forces, seront tout aussi irrationnels et injustes, aussi gratuits et inhumains que la rationalisation justificative de ce type. Tragi-comédie loufoque et triste d'un non-sens historique de moins en moins compréhensible. Il est impossible, en Afrique du Sud, de se faire une raison, ou une logique, pour expliquer pareille situation. Si on va au bout des contradictions cumulatives du monde contemporain, on se trouvera emprisonné dans le même cul-de-sac. Mais tant de fards griment et truquent le vrai visage de nos propres aberrations. Je rapporte ici une des expériences les plus fortes de ma vie. Vous le comprendrez en lisant le texte qui va suivre. Il ressemble à une sorte de glace qui au matin d'un cauchemar nous renvoie à une réalité brutale «indéniable»... dans la salle de bain!

L'enfer froid

J'ai vu beaucoup de misère un peu partout dans le monde. Mais une misère planifiée comme en Afrique du Sud, c'est unique. Pour comprendre ce qui se passe là-bas, je vais décrire Montréal sous le modèle de Johannesburg. Les francophones représentent la population noire et la minorité anglophone tient lieu de *white power*.

Comme dans toutes les zones urbaines et industrielles du pays, un francophone n'a aucun droit social, économique et politique. C'est un travailleur étranger soumis à un contrat annuel stipulant un salaire d'environ $25 par semaine, qu'il s'agisse d'un travail en usine, dans un service public, dans un magasin ou dans une famille comme domestique. (Le coût de la vie est à peu près identique à Montréal et à Johannesburg).

Des prisons-bordels

Uniquement à cause de la couleur noire de votre peau — ce que vous ne pouvez pas changer

— vous n'avez aucun droit de propriété ou de vote, même si vous habitez la ville depuis votre naissance, même si votre famille y demeure depuis trois ou quatre générations.

Vous n'êtes qu'un individu migrant qui ne peut revendiquer aucun droit familial de résidence permanente. Votre femme et vos enfants doivent vivre dans des réserves assez éloignées de la ville, ou dans le village d'origine. L'épouse peut rester avec vous, si elle a travaillé pendant dix ans pour le même employeur, ou si elle a travaillé quinze ans pour différents employeurs, ou si elle est née dans la ville. Mais comme les registres sont souvent erratiques, elle sera souvent obligée de s'expatrier, faute de preuves. Ou encore elle devra habiter dans un autre logement collectif réservé aux femmes qui ont un contrat de travail en ville.

Vous-même, vous habitez soit une barraque de l'employeur, soit un *hostel* du gouvernement. Vous occupez une chambre avec sept autres étrangers. «*One bed, one locker,*» voilà ce qu'on vous loue. Vous faites votre cuisine vous-même dans une cuisine commune. Souvent les douches ne fonctionnent pas, les toilettes sont infectes.

Vous vivez ainsi dans une sorte de prison-bordel où des centaines d'hommes découragés se livrent à l'alcoolisme et à la corruption. Il y a trois hommes noirs pour une femme noire en ville, et vice versa dans les réserves ou les *homelands*. Johannesburg, Durban, Cape Town, Pretoria, Port Elisabeth, East London, c'est partout la même situation.

Le *cheap labor*

La police contrôle régulièrement votre permis de séjour (*pass law*). Le bureau de travail a un pouvoir absolu sur votre contrat de travailleur « étranger ».

S'il vous arrive d'être mis à pied, on peut vous chasser de la ville dans les 72 heures. Si votre employeur s'installe ailleurs, vous perdez votre droit de résidence, à moins que vous ayez plus de dix ans de service. À soixante ans, vous devez vous expatrier dans les réserves ou dans votre village d'origine (pension : $8.00 par mois).

Vous vient-il à l'idée de faire la grève avec vos compagnons de travail, on vous mettra sur le train comme un vagabond de nulle part. Vous risquez même de ne pas avoir de permis de séjour dans l'une ou l'autre des réserves (*resettlement townships*).

À Durban, 900 débardeurs ont déclenché une grève en 1969. Ils ont eu quatre heures pour quitter la ville. À Paarl en 1972, 60 employés de la ville demandent qu'on augmente leur salaire fixé à $13.50: on les a renvoyés au Transkei. Vous êtes condamné à des travaux de manoeuvre. Car les jobs intéressants sont réservés aux Blancs. Même dans les cas exceptionnels où vous faites un travail spécialisé, vous recevez un cinquième du salaire de votre compagnon blanc.

Le ministre du Travail l'avouait en Chambre à l'occasion de l'affaire *New Castle*, à l'automne 1974. Si vous mourez et si votre veuve n'a pas de statut de travailleur contractant, elle devra quitter la ville avec les enfants, pour aller vivre dans son village d'origine. Mais même avec un contrat, elle peut devoir envoyer les enfants à la grand-mère de l'*homeland*.

L'esclavage invisible

Cette description donne une bien pâle idée de la situation réelle. J'avais lu beaucoup de dossiers officiels avant de visiter l'Afrique du Sud. L'*Apartheid*, pour moi, c'était une vague image: des autobus, des magasins, des restaurants, des écoles, des parcs réservés soit aux Noirs, soit aux Blancs.

Arrivé au pays, je découvre un monde riche, propre, ordonné, ensoleillé. Un *surboom* économique. Les mines d'or sont plus rentables que jamais. Le climat social semble pacifique.

Je fais d'abord une visite «guidée» de Johannesburg. J'ai l'impression d'être dans une des villes les plus riches du monde. Le guide le rappelle plusieurs fois sans mentionner le rôle du *cheap labor* dans cette ville verte avec ses habitats somptueux, son activité économique débordante.

L'Afrique du Sud cumule la moitié du volume financier de l'Afrique avec ses 6% d'habitants (la population noire comprise). Au cours de la visite l'autobus s'arrête, le guide nous montre le quartier de SOWETO, que nous pouvons embrasser d'un seul coup d'œil, à un mille de distance: «Voilà un quartier noir, aucun Blanc n'a le droit d'y entrer, voyez ces maisons coquettes avec leur jardin». Et puis l'on fait demi-tour.

Dépossession totale

Au cours de l'après-midi, je rencontre un prêtre noir et lui raconte ce que j'ai vu. «Viens avec moi» me dit-il. Et me voilà dans SOWETO, 100000 êtres humains entassés dans des maisons sans plancher, sans plafond, sans toilette et eau courante à l'intérieur. Puis il me conduit à Alexandra, un autre quartier typique. Le seul endroit de la ville où, jadis, les Noirs ont pu avoir une propriété privée.

Le gouvernement nationaliste qui a pris le pouvoir et l'a gardé depuis 1948, a exproprié les propriétaires noirs pratiquement sans compensation. Il a passé une législation en conséquence pour faire de toutes les zones urbaines et industrielles des territoires réservés aux Blancs. Systématiquement, il entreprenait de refouler les Noirs dans les réserves, loin du regard des Blancs qui n'auraient plus ainsi à supporter le voisinage et la vision d'une misère dont ils ne reconnaissent aucune responsabilité. Peu à peu l'étau s'est resserré.

En 1971, les agents gouvernementaux prévoient la construction de dix *hostels* pour les hommes et de cinq pour les femmes, qui doivent loger 60 000 personnes. Il en existe deux actuellement. Ils ressemblent à de vastes prisons, bien contrôlées par une police alerte et bien équipées. Un surveillant peut appuyer sur un bouton et hop, tel ou tel secteur de l'*hostel* de 3 000 pensionnaires est parfaitement scellé par des rideaux de fer mobiles.

Dimbaza

Je n'avais pas vu le pire. Près de Cape Town, il y a une autre réserve encore plus révélatrice des visées de la politique d'*apartheid*. Elle a été construite loin de la route pour ne pas être vue. On déjette dans ces *resettlement townships* tous les êtres qui ne peuvent servir de *cheap labor* dans la ville ou sur les fermes des Blancs. Par exemple, une veuve qui ne veut pas se séparer de ses enfants, ira s'y installer avec une maigre pitance.

Le médecin se présente à Dimbaza une fois par semaine pour dix cas seulement! L'emplacement a été mal choisi. Le sol des maisons est régulièrement détrempé par la pluie. De temps à autre, des camions viennent libérer les égouts et emporter les détritus. Des odeurs infectes vous font lever le cœur.

Un prêtre, David Russell, qui y a installé une mission, alertait l'opinion publique en 1971, par un jeûne sur la place publique de Cape Town. Le gouvernement qui tient à l'invisibilité de sa politique esclavagiste a fait quelques concessions mineures. Mais le prêtre a été expulsé, à titre de communiste.

Un habitant de Dimbaza disait les larmes aux yeux: «les Blancs traitent mieux le bétail que nous».

Les Blancs

Un mur opaque cache à la conscience des Blancs les déchets humains de l'*apartheid*. Et les Blancs? On songe ici aux «Africaans» (Bœrs), surtout d'origine hollandaise, qui constituent soixante pour cent de la population blanche. Regroupés dans le Parti nationaliste, ils ont en pratique un contrôle total de la politique et de l'administration de ce pays cinq fois plus grand que la Grande-Bretagne.

Calvinistes, élus de Dieu, ils associent civilisation, richesse et Royaume de Dieu. Pendant longtemps, il n'était pas question d'évangéliser les Noirs, ces fils de Caïn, damnés de la terre et sous-humains ennemis de la civilisation.

En 1965, *The Cape Synod of Dutch Reformed Church* affirmait encore: «Grâce aux lois de Dieu, les Blancs sont épargnés des vices de la population noire».

Ailleurs, dans d'autres documents, cette Église met en garde contre le «cancer» noir qui menace toute la société et surtout le peuple élu. Elle se réfère constamment à l'Ancien Testament.

Voilà le noyau dur de l'*apartheid*. Mais les immigrants blancs des dernières décennies sont souvent encore plus racistes. Ils viennent des pays africains qui ont acquis en grand nombre leur indépendance.

Il faut compter aussi dans cette aire politique les immigrants blancs pauvres qui se sont vu accorder du jour au lendemain un statut social et économique supérieur, avec des jobs réservés. Un simple chauffeur d'autobus a un ou deux domestiques au service de sa famille. Cette petite classe moyenne vote massivement pour la ligne dure de l'*apartheid*.

Enfin, il y a les libéraux du Parti uni et du Parti progressif. Des libéraux qui ont honte de leur société. Ils protestent verbalement, mais ils se font les complices quotidiens d'un régime dont ils bénéficient. Quelqu'un me décrivait leur attitude en ces termes: durant les cinq premières années, les Noirs ont toujours raison; pendant les cinq autres années, les Noirs ont toujours tort; et après, on s'en fout.

Cent fois, on m'a dit que la population blanche, massivement, supportait l'*apartheid*. D'ailleurs le régime a su bien camoufler les murs de la honte. Les militants blancs qui luttent contre la politique actuelle sont considérés comme des communistes ou même des fascistes!

Dans l'ensemble de la population blanche, on peut constater une sorte de contexte schizophrénique; une logique pour les Blancs et une logique pour les Noirs. Je n'ai jamais vu pareille distorsion de la conscience, vécue aussi naturellement. Devant les interrogations d'un étranger, ils répondent: «Vous ne pouvez pas comprendre».

Les grandes visées de l'*apartheid*

D'abord se réserver le contrôle exclusif des régions urbaines, industrielles, minières et agricoles riches. En ces zones, le Noir sera un travailleur de passage, susceptible d'être expulsé dès qu'on ne peut plus l'utiliser d'une façon rentable.

Ensuite, poursuivre un «développement séparé» des diverses tribus bantoues jusqu'à l'accession à une certaine autonomie politique interne. Bien sûr, on prendra soin de les isoler les unes des autres pour briser ce sentiment commun d'appartenance africaine.

On encouragera même le folklore et la culture de ces groupes ethniques. Le Transkei est une des premières expériences de «développement séparé». Mais tous ces *homelands* sont surpeuplés et radicalement démunis pour tout autodéveloppement. Ils servent de régions fantômes pour abriter les familles des travailleurs migrants en ville. Ceux-ci ont le droit de visiter leurs foyers lointains deux ou trois semaines par année.

Il existe des millions d'exemplaires de ces familles divisées par les lois de travail et de résidence (*Urban Areas Act. No 25; section 10*). Quelle cruauté, quand on songe au rôle central de la famille dans la société africaine!

Vorster, le Premier ministre actuel, reprend le même argument avancé par son prédécesseur: «Bientôt nous allons pouvoir nous passer des travailleurs noirs». Mais toute l'évolution actuelle dément cette prétention.

Avec le *surboom* économique, on doit même enfreindre la loi des *jobs reservation* pour entraîner des Noirs dans des métiers spécialisés.

Certains hommes d'affaires du Parti uni contestent l'*apartheid* pour des raisons économiques : faible pouvoir d'achat des 80% de Noirs dans une population de 21 millions ; faible productivité d'une main-d'oeuvre non entraînée, non éduquée, non motivée et instable à cause des contrats «annuels», de l'absence de mobilité professionnelle, et de la déshumanisation radicale des conditions de vie du Bantou.

À long terme, l'économie y trouvera un goulot d'étranglement. Voilà l'expression d'une des sociétés les plus matérialistes que j'aie vues. Mais l'État policier tient bien les choses en main. La police a tout pouvoir. Les actes de violence des Blancs débouchent souvent sur un *no charge*. Les articles de journaux qui rapportent ces crimes se terminent souvent par cette remarque : *No charge*. Sur le chemin Old Vereeniging, au début de 1975, quatre Blancs ont lapidé des Noirs. Il n'y a eu aucun mandat d'arrêt.

Les pressions internationales

L'Afrique du Sud sera bientôt entourée de pays africains indépendants. À l'ONU, France, Grande-Bretagne et USA opposent leur veto à l'expulsion de l'Afrique du Sud (ils y ont tellement d'investissements à protéger!). La pression devient très forte. On est sur un pied de guerre. $700 millions de dollars pour le budget de la défense. Vorster prend ses distances sur Smith de Rhodésie.

Le Sud-Africain connaît ses intérêts. Il est en affaires. Tout doit être considéré en fonction de cela. Les quelques centaines de milliers de Blancs en Rhodésie ne pourront tenir le coup. Mieux vaut les laisser tomber. Ça coûterait trop cher. Vorster tend la main à l'Angola, au Mozambique, au Malawi. «Nous sommes liés ensemble économiquement, pourquoi ne pas nous entendre.» Le gouvernement sud-africain va reconnaître ces nouveaux régimes de la majorité, tout en refusant la même règle chez lui.

À l'ONU, Vorster a promis de gros changements dans les six prochains mois. Dans les journaux d'Afrique du Sud, au début de 75, c'est l'euphorie: «Voyez, on commence à changer les choses au pays». Jamais je n'ai lu un seul commentaire qui laissait entendre qu'on veut le faire parce que la soupe devient chaude. En mai 1975, cinq mois après les promesses de Vorster à l'ONU, aucune politique nouvelle n'est encore annoncée.

Mais y aura-t-il de vrais changements? J'ai la ferme conviction qu'on ne peut réformer un système social, économique et politique structurellement fondé sur l'*apartheid*, sur le pouvoir absolu de la minorité blanche, sur l'aliénation radicale d'une population maintenue dans l'esclavage depuis trois siècles.

Le premier ministre Jonathan du Lesotho, un petit pays indépendant en plein cœur de l'Afrique du Sud, disait au début de 1975: «Vous avez établi des barricades et une structure de domination pour nier les droits humains les plus fondamentaux et pour exploiter à votre avantage la main-d'œuvre noire... et vous voulez en même temps la coexistence pacifique et la libre circulation économique, c'est de la démence.»

Vorster, après avoir annoncé bien des concessions (jamais précisées) à l'ONU, a affirmé au retour: «Les Blancs ne partageront jamais leur pouvoir avec les autres groupes». Voilà sur quelle base réelle il veut négocier avec ses voisins. Des voisins bien mal pris à vrai dire. Par exemple, le Mozambique par le transit d'exportation, le tourisme et ses 100 000 travailleurs migrants va chercher $300 millions par année en Afrique du Sud, sans compter le contrat de dix ans ($400 millions) pour l'exploitation du barrage Cabora/Bassa. Cesser tout rapport économique serait désastreux pour le Mozambique.

Un paradis transformé en terre de Caïn

Aucun signe de révolution... ou même d'espoir. Tout se passe comme si la population noire avait démissionné. Ils en sont même venus trop souvent à se mépriser, à se considérer comme non civilisés.

Contrôlés de toute part, ils se tournent les uns contre les autres. 80 meurtres par mois dans le quartier du Soweto. On a compté 700 prostituées dans un *hostel* de 3000 hommes au cours d'une fin de semaine. L'alcoolisme prend des proportions énormes. Il n'y a vraiment pas d'opposition organisée. Bref, le cercle vicieux parfait de l'aliénation et du prolétariat.

L'*apartheid* a mis sur pied un des systèmes colonialistes les plus raffinés de l'histoire. J'écris ces lignes sans grande conviction. Il faut vraiment le voir de ses yeux pour le croire. Et je sais que bien des partisans de l'*apartheid* avec leur système très puissant de rationalisation pourront me contredire. Quand on fait de telles choses, on est prêt à mentir savamment.

Dans une assemblée paroissiale, cet après-midi, j'ai entendu des dizaines de Noirs décrire leurs drames de toutes sortes. Car ce système de contrôle concentrationnaire est farci de contradictions. Il en résulte des injustices criantes, sans aucune possibilité de recours légal. Un État policier n'a que faire de ce qu'on appelle un «droit». Les décisions sont livrées à l'arbitraire. Quand le gouvernement risque de perdre la face, il enfreint ses propres lois.

Je sors de ce pays avec le goût de vomir, en ne comprenant pas comment les hommes de bonne volonté peuvent y vivre paisiblement. Je baisse mon chapeau devant cette minorité qui lutte contre vents et marées pour changer les choses, sans trop savoir comment.

Un enfer «froid», c'est unique, inédit. Et dire que les hommes l'ont construit au beau milieu d'un paradis de soleil et de verdure, rempli de toutes les richesses de la création. Comédie humaine pour ceux qui pensent. Tragédie pour ceux qui sentent. Il y a lieu d'évoquer ici le drame d'Adam au début de la Bible. Même scénario. Le cap de la bonne espérance n'a pas encore délivré cette terre de Caïn aux confins du Pôle Sud. La libération viendra-t-elle d'ailleurs? Le peut-elle sans une foi du dedans?

Le drame que je viens de décrire nous renvoie à ce que plusieurs appellent: la crise de la civilisation. Ce n'est pas mon objectif de poursuivre ici de grandes analyses politiques sur un nouvel ordre international. Je veux rester plus près de l'expérience humaine quotidienne aux prises avec les questions concrètes du pain, et du sens qui fait vivre. Les tâches, à ce niveau, sont autant spirituelles que matérielles. Combien d'entre nous ont dissocié le pain et le sens dans leur vie?

Ce divorce en recoupe bien d'autres. Le monde occidental a décomposé la vie de diverses façons. Beaucoup de nos expériences individuelles et sociales sont isolées les unes des autres. Et pourtant nous restons le même homme partout. Aurions-nous perdu de vue ces sagesses historiques des peuples qui, au cours des siècles, avaient su relier plus organiquement l'homme à son milieu naturel et culturel? C'est cette question qui revenait sans cesse durant ce voyage. Une question que je n'avais pas prévue. Elle venait de ce que m'apprenaient les vieilles cultures.

J'ai compris jusqu'à quel point le Nord-Américain est un être traumatisé par l'absence d'un contexte de vie cohérent, culturellement intégré et socialement bien articulé. L'Amérique a fait de grandes choses, mais elle a trop longtemps ignoré ce qui a été défait sous ses pieds: ses normes culturelles, ses communautés humaines et une sagesse collective pour fonder les petites et grandes décisions de l'existence. Ce propos indique déjà le tracé de la prochaine étape.

• Recomposer une vie trop émiettée

« Votre progrès a défait notre vie »

Ynas, un chef indien de l'Amazonie au Brésil, prend la tête d'un mouvement de résistance face aux grandes manœuvres de colonisation. On sait avec quelle violence, les « blancs de la capitale » bousculent, exproprient, refoulent des communautés autochtones enracinées depuis des siècles dans cette riche *selva*. Devant le refus obstiné des Indiens, les hommes du gouvernement tentent la méthode douce de persuasion. On amène Ynas à Sao Paulo pour lui faire connaître la grandeur et les bienfaits de la civilisation. Après un mois en « ville », Ynas est déclaré fou. On le livre même à une clinique psychiatrique. Que s'est-il passé au juste ?

L'histoire n'est pas d'hier. Il y a dix ans un anthropologue avait vécu dans le village de Ynas. Je résume ici son témoignage.

« Ynas m'apparaissait l'homme le plus intéressant du village. Habile, intelligent, entreprenant et vigoureux, il était l'homme dont j'avais besoin pour poursuivre mes explorations en forêt et entrer en contact avec différentes tribus. Je lui propose donc de travailler pour moi. La réponse est drue et sarcastique : « Tu veux que je devienne ton esclave. Je n'ai que faire de ton argent. Mais ouvre-toi les yeux. Nous avons tout ce qu'il nous faut ici. On est libre, on est heureux. Toi, tu ne peux pas vivre seul pendant deux jours dans la forêt. Moi, j'y suis tout à fait à mon aise. Je sais subvenir à tous mes besoins et vaincre tous les dangers. Regarde les frères de mon village, ils chantent même en travaillant. Ils chassent, ils pêchent au gré de leurs désirs. »

On a perdu la trace d'une vie « intégrée »

Ynas n'avait donc aucun complexe devant son interlocuteur que le village accueillait avec hospitalité. Au cours de longues conversations, Ynas interrogeait l'anthropologue sur la ville des blancs, ses machines, ses techniques, ses modes de vie. Après les premiers émerveillements devant les photos de son hôte, il devenait plus critique. « Mais, c'est un monde de fous... d'esclaves. On ne sépare pas la vie comme ça. Vous ressemblez à vos machines ».

Voilà l'homme qui va s'opposer à l'arrivée de la « civilisation » chez lui. Il ne cherchera pas moins à la comprendre et à la juger. Il refusera d'abord que sa communauté de vie devienne une sorte de troupeau de travailleurs organisés par des machines. Il n'acceptera pas que les bulldozers déchirent la forêt, un peu comme s'il anticipait un déséquilibre irréversible de la nature. La rapidité brutale de telles opérations ne pouvait venir de la sagesse ou du bon sens. On brisait la vie. On la sectionnait. On l'émiettait. On l'essoufflait.

Plus il essayait de comprendre le monde des blancs, plus sa tête s'embrumait... jusqu'au jour où le choc de la ville le rendit fou de rage.

La décomposition a commencé avec le travail

On croirait voir ici, en un court moment, cette longue destructuration de la «vie intégrée» qui a commencé avec l'organisation moderne du travail. Taylor a décroché celui-ci de la vie et de l'homme lui-même. «Vous n'êtes pas payés pour penser, mais pour exécuter.» L'individu isolé à un poste donné doit exécuter un mouvement au rythme mécanique d'un appareil. On est loin du travail unifié de l'artisan qui maîtrisait tout le processus de sa production. Son métier l'intégrait à une communauté. Il faisait partie d'un tissu social bien noué par des rites et des rythmes. Taylor a tiré le travail hors de ce contexte de vie. Il en a fait un monde en lui-même qui devait bientôt asservir le reste de la vie.

Ce modèle du travail décomposé et morcelé va inspirer toute l'organisation de la société. Au nom d'une certaine efficacité, on va isoler et spécialiser les institutions: l'habitat, l'usine, l'école, les services publics. La ville aura bientôt ses banlieues résidentielles, ses parcs industriels, ses campus scolaires, ses zones de commerce, ses centres culturels.

Dispersion sociale et mentale

Le citoyen court de l'un à l'autre sans trop savoir le rapport entre ces mondes parallèles. Mais, au fait, qu'est-ce qui pourrait relier dans un ensemble cohérent cette mosaïque de lieux dispersés ? Une philosophie ou une politique ? C'est prendre de bien loin les choses ordinaires de la vie. Les hommes ont besoin de repères plus concrets et plus immédiats. On a cru un moment que la famille serait le lieu humain intégrateur de ces diverses dimensions de la vie. Mais la famille moderne est aussi morcelée que le travail de Taylor, aussi spécialisée que les autres institutions, aussi éparpillée que la vie urbaine. Elle est donc autant en crise que l'école, l'usine, l'hôpital ou le parlement. Il n'y a vraiment plus d'institution-clé comme dans les sociétés traditionnelles. L'Église, chez nous, avait joué un peu ce rôle.

Sans doute, il serait futile de vouloir retourner aux formes intégrées de la vie primitive. Mais peut-être leurs sagesses de base devraient-elles nous inspirer, du moins nous alerter sur une tâche majeure de notre monde moderne, à savoir recomposer la vie ? Sans rien perdre des vrais progrès acquis par la science et la technique. Il faudrait réorienter maintenant ces forces de civilisation pour recomposer la vie. Les esprits y sont sans doute plus prêts que jamais. On supporte de moins en moins la dispersion sociale et mentale actuelle. La détérioration de notre langue offre un indice évident parmi d'autres. Après tant de recherches et d'expérimentations, tant de nouveaux programmes et de nouvelles structures, on arrive à un échec pénible. Beaucoup de jeunes ne savent ni écrire, ni exprimer une pensée cohérente. Est-ce le reflet de la dispersion sociale et mentale d'une vie moderne émiettée ? Celle-ci n'a plus de GRAMMAIRE.

Une base sociale de plus en plus détériorée

Le problème est plus profond et plus étendu. On n'a qu'à penser aux difficultés de la communication réelle entre les hommes, dans un monde qui a multiplié les moyens techniques de communication. Une autre contradiction évidente. Après avoir multiplié en tous sens les possibilités d'informations et d'échanges, notre société est peuplée d'individus qui crient leur solitude et leur désarroi, qui se disent tiraillés, déchirés et inopérants. Certaines enquêtes révèlent que plus de 25% des citadins occidentaux vivent des problèmes psychologiques graves. Je suggère ici une explication parmi d'autres: la personne reste une, mais sa vie ne l'est pas. Sa vie concrète à la maison, à l'école, au bureau, au centre d'achat ou ailleurs. *On demande à l'homme isolé de refaire l'unité d'une vie que la société moderne morcelle et émiette de mille façons.*

Les institutions en se sur-spécialisant se sont isolées les unes des autres. De plus, elles sont devenues de grosses «patentes» compliquées que la majorité des citoyens ne comprennent pas. Après les institutions, les rapports sociaux ont été isolés les uns des autres. Pensons à l'absence d'une continuité minimale entre la vie familiale et l'organisation scolaire, entre le travail et les loisirs. Il y a trop de registres à la fois. On a multiplié les claviers.

Même les experts organisent la vie moderne d'une façon erratique. Ils ont répété souvent des erreurs semblables d'une réforme à l'autre dans divers secteurs. Que d'exemples me viennent à l'esprit! Tel un même modèle administratif appliqué à des institutions aussi différentes qu'une usine, une école, un hôpital, un centre communautaire, un hôtel de ville, etc. On a défait des milieux populaires tout en tentant d'intégrer faussement leurs habitants dans un contexte social et culturel de classes moyennes banlieusardes. On a bâti de grosses structures scolaires sans échelle humaine d'appartenance, sans milieu de vie véritable, sans rapports personnels et communautaires.

Les grands projets bien connus, B.A.E.Q., Communautés urbaines ou régionalisation autour de l'aéroport MIRABEL, n'ont pas solutionné les problèmes quotidiens des collectivités locales. Au contraire celles-ci sont aujourd'hui plus disloquées qu'elles ne l'étaient hier. Je ne veux pas formuler ici une condamnation simpliste, mais plutôt signaler le fait que nos expertises modernes n'ont pas réussi à contrer la détérioration croissante de la base sociale, qu'il s'agisse des institutions locales, des relations humaines quotidiennes ou des mentalités. Les technocrates ne sauraient servir de boucs émissaires. Il faut aller plus loin.

Y a-t-il encore une ou des philosophies de la vie?

Ce qu'il y a de plus grave, c'est qu'on a cru pouvoir transformer rapidement des rapports fondamentaux tissés par des siècles d'expérience. Rapports entre hommes et femmes, entre parents et enfants, entre *leadership* et *membership*. On ne change pas la vie comme on change de job ou d'auto. Après avoir joué avec les structures et les techniques, avec les goûts de consommation, plusieurs ont voulu faire de même avec les bases de la vie. La crise morale actuelle n'y est pas étrangère.

Les idées se sont dispersées un peu comme les institutions et les rapports sociaux. Religion et morale traditionnelles connaissaient la première dislocation. Mais, peu à peu, c'est la philosophie de la vie qui en a pris un coup. Combien en ont une qui soit solide, cohérente? Je pense ici à un ensemble de convictions bien fondées. Je pense à la capacité d'un jugement juste et conséquent. Je pense à une force morale qui rend capable de vivre ses convictions. Voilà les trois éléments principaux d'une philosophie de la vie. Dans quelle mesure ne se sont-ils pas appauvris au point de briser ces élans décisifs qui naissent d'abord dans la conscience personnelle et collective?

Les solutions existantes et possibles

Ces affaissements du quotidien, ces brisures de la base sociale appellent une tâche majeure, celle de recomposer la vie. Recomposer des institutions locales, des rapports sociaux, des sagesses et des pédagogies, mieux intégrés les uns aux autres. Ce fameux concept d'adaptation, en dépit des déclarations officielles, était plus tourné vers la structure que vers la vie. Il en est de même du concept de «besoins» qu'on dissocie du contexte social réel où ils s'expriment. Mais ne désespérons pas. Certaines initiatives récentes dégagent de nouvelles avenues intéressantes.

- On commence à recomposer le travail en confiant à des équipes un processus complet de production avec d'authentiques responsabilités d'organisation et d'auto-contrôle.

- On refait des quartiers polyvalents où l'on peut vivre, dans un lieu intégré, les diverses dimensions de la vie: famille, école, travail, loisirs et services.

- On invente des institutions de base comme les Centres locaux de services communautaires où les grandes fonctions sociales seront plus à la portée des gens, de leurs besoins, de leur participation.
- Des parents et des éducateurs en arrivent parfois à une pédagogie unifiée qui fédère les principaux apprentissages de base de la vie. Les jeunes y apprennent des savoir-faire-vivre et penser bien intégrés. Les liens entre instruction, philosophie de la vie, rapports sociaux et maîtrise de techniques essentielles sont établis judicieusement. On réalise cette intégration vitale à travers des tâches domestiques, des travaux scolaires ou des responsabilités sociales.
- De nouvelles communautés naissent autour des grandes quêtes spirituelles actuelles. On y apprend à se créer un nouvel ordre intérieur plus cohérent et plus dynamique. Un ordre intérieur qui renouvelle les rapports entre les patrimoines reçus et des projets de vie inédits. Un ordre intérieur capable d'autocritique, et d'ouverture aux autres. En ces lieux communautaires, les hommes expriment, ré-interprètent, partagent et transforment le vécu original qu'ils portent. Peu à peu émergent une philosophie et une éthique de la vie.
- Parfois des techniques modernes deviennent un lieu privilégié pour la recomposition sociale d'une vie locale éclatée. Certaines expériences de télévision communautaire pourraient bien devenir l'institution-clé de collectivités locales. Les divers groupes de la localité s'y rencontrent et se confrontent comme jadis on le faisait au *forum*, sur la place publique, à la salle paroissiale ou ailleurs.
- Dans une perspective plus large, il existe chez nous des initiatives politiques qui ont réussi à

relier les solidarités de base de certains milieux populaires à un ou des projets de société. Je ne veux pas évaluer ici ces projets eux-mêmes, mais signaler la possibilité de donner un sens et une dynamique politiques à cette recomposition de la base sociale.

- L'importance qu'on accorde aux facteurs écologiques, aux questions d'environnement va peut-être faire naître des espaces sociaux et humains plus propices à une vie personnelle et collective moins déboîtée ou écartelée.

Il existe une foule de groupes intégrateurs de vie dans la cité moderne. Mais ils sont souvent très fluides et instables. On doit s'inquiéter de l'appauvrissement des lieux naturels et quotidiens où l'on pourrait normalement unifier sa vie. Bien sûr, la famille ne saurait jouer ce rôle comme autrefois. Mais en isolant dans des mondes à part les vieux, les adolescents, les adultes d'âge moyen et même les enfants, on brise des rapports sociaux fondamentaux entre générations. Voilà une autre tâche pour l'avenir.

Je ne veux pas sous-estimer les grands enjeux économiques et politiques actuels. Mais est-on assez alertés par la fragilité du sous-sol humain qui reste l'assise principale de toute dynamique collective féconde? Trop de plaidoyers reportent sans cesse les problèmes en haut: le gouvernement, les pouvoirs, le «système». Évidemment, on ne peut nier les rapports mutuels entre les super-structures et la base sociale. Mais ne faut-il pas mieux connaître et mieux assumer notre base sociale à partir d'elle-même? N'est-ce pas l'idée première de la démocratie? Les «grandes» politiques seront peut-être plus réalistes. Et les citoyens se sentiront davantage partie prenante de certains choix décisifs face à leur avenir.

Un choc culturel méconnu

Il faut parfois sortir de son milieu pour mieux le comprendre. Je voudrais illustrer cette remarque par un exemple saisissant.

Quand le temps organisé détruit tout espace vital

En plein cœur de l'Afrique, je m'arrête dans un village pour un assez long séjour. Ce qui me permet de suivre de près chacune des activités de mes hôtes. J'arrive à un moment privilégié. En effet, la communauté connaît un débat très intense qui engage son sort à tous les plans. Jusqu'ici elle a vécu d'une économie de subsistance. Elle produisait tout ce dont elle avait besoin. Tout était parfaitement intégré: famille étendue, travail collectif, éducation, religion, etc. Vient le responsable du gouvernement qui convainc les chefs d'entreprendre une culture intensive du café. Il leur montre sur film ce qu'ils vont pouvoir se procurer avec l'argent gagné. Les habitants du village acceptent le projet. Pendant trois ans, ils vont travailler d'arrache-pied pour réussir cette culture d'exportation. Mais il y a des résistances difficiles à saisir. Rassemblés autour du grand arbre qui occupe le centre du village, les membres de la communauté vont longuement discuter pour évaluer la situation. J'ai pu suivre cette discussion qui se prolongera durant plusieurs jours. Pareille réflexion «au ralenti» m'a fait comprendre un choc culturel invisible qui a profondément secoué les sociétés modernes.

Au fond du débat, j'ai découvert que l'espace vital de cette communauté avait été détruit. Un espace social, un milieu humain avec ses rites et ses rythmes de vie. Autrefois fêtes et travaux se nouaient comme mailles d'un tissu. Le temps n'existait pas. Le temps occidental qui fait courir, accumuler, programmer. Le temps d'une course sans fin. On travaillait jadis pour vivre. On partageait tout, même les dures besognes. Les charges étaient réparties sur l'ensemble de la communauté. Bref, il y avait un milieu humain authentique. Maintenant on est en compétition les uns avec les autres. On mesure les performances individuelles. Hommes et femmes se disputent les gains. Les enfants ne connaissent plus cet environnement d'une existence collective où les uns et les autres prenaient le temps de se parler, de s'écouter. À force de vouloir gagner du temps et occuper tous les moments, les hommes du village ont bloqué tous les pores de la vie. L'atmosphère devenait irrespirable.

Le Québec a connu un choc semblable

Sans le savoir, ces hommes m'expliquaient le drame occidental, celui de mon pays. Nous aussi, nous avons connu cette expérience d'une vie bâtie sur l'espace vital. Le village avec son clocher au centre, c'était un contexte humain semblable. La parenté, le voisinage, les corvées, les rites religieux constituaient la texture d'un véritable milieu humain. Même l'ordre providentiel abolissait le temps pour faire place au «vivre ensemble».

Puis une révolution, moins tranquille qu'on ne le pense, est venue. Rattrapage, planification, accumulation. *Time is money*. Il fallait doubler le pas, disait-on... prendre des bouchées doubles partout à la fois. Le temps remplaçait l'espace vital. C'était cela, la dynamique du progrès.

Aujourd'hui, le balancier revient vers le milieu humain. Des quartiers à sauver, des communautés à faire. Les références deviennent spatiales: l'écologie, les espaces verts, les lieux historiques à protéger, les écoles à aire ouverte. On refait des quartiers polyvalents qui recomposent l'habitat, l'éducation, le travail, le loisir et le service public.

Mais le choc entre le temps et l'espace demeure. Il a été invisible chez nous. Les réalités humaines les plus simples et les plus profondes échappent souvent aux hommes. Peut-être davantage aujourd'hui qu'autrefois. Le temps «occupé» de mille façons ne laisse plus de silence pour écouter la vie. Cette absence de pores, cette incapacité de respirer, cet affolement cardiaque précèdent en quelque sorte l'air pollué ou la rue congestionnée. On manque tout autant d'espace intérieur que d'espace social.

Les faux compromis

Suffit-il de trouver cet espace durant le week-end après avoir vécu follement le temps de la semaine? Je ne crois pas à ce compromis entre le centre-ville et la campagne. Les plus fortunés peuvent bien «s'acheter une terre» pour retrouver plus d'horizon et un peu de nature. Mais qu'en est-il de cette majorité condamnée à vivre le temps essoufflé, énervé, de la ville actuelle?

Il nous faut recomposer le temps et l'espace dans le pays réel. La société traditionnelle abolissait le premier, la cité moderne, le second. Nous n'avons pas encore de modèles pour de fécondes conjugaisons. Certains fuient dans des espaces marginaux, fûssent les voyages. Mais le temps ordinaire reste aussi brisé et insignifiant.

Je pense à ces hommes aliénés par leur travail, qui se promettent une retraite aérée, calme, spacieuse et intériorisée. Quand ils y arrivent, les voilà malheureux. C'est le vide et l'ennui. Deux morts successives. Le temps les a tués une fois et c'est maintenant l'espace qui va les emmurer vivants. Ils n'ont pas appris à libérer des espaces humains dans leur vie active. Et ils ne savent pas inventer une dynamique du temps dans l'aire ouverte des nouveaux horizons disponibles. La retraite devient retrait, arrêt et mort.

Les jeunes font-ils mieux? Chez certains, il n'y a pas d'hier ni de demain. Le moment présent occupe tout l'espace vital. Je crains les hommes incapables de souvenir et d'avenir. Ils ne peuvent que construire des milieux évanescents. L'arbre par ses racines prévient l'érosion du terreau. Il capte vie, soleil et lumière en prenant de l'altitude. Il sait donc l'économie du temps et de l'espace.

Remarier le temps et l'espace dans le quotidien

Jeunes, adultes et vieillards de ma civilisation ont-ils perdu cette économie de la nature, cette sagesse de l'histoire, cet art de vivre? Peut-être faudra-t-il apprendre à mieux conjuguer le temps de la culture et l'espace de la nature, l'histoire et le milieu.

Se peut-il que le temps de l'homme et celui de la nature soient si étrangers? Ce retour au naturel se fera-t-il en niant les grandes aventures culturelles? Le défi demeure entier après les fuites en province. En effet, la culture urbaine a besoin de nature, d'espace, de milieux plus humains. La campagne, elle aussi, se meurt sans la culture patiente qui laboure, sème, et moissonne. Je rêve d'une nouvelle alliance de la nature et de la culture dans le pays réel des miens.

Dix questions

Nous voilà, encore une fois, renvoyés à nous-mêmes. N'est-ce pas en chacun de nous que les premiers raccords sont à faire ?

Sait-on vraiment le temps de vivre ?

Sait-on s'aménager un espace intérieur ?

Sait-on la convivance d'un milieu humain ?

Sait-on trouver la paix en semaine ?

Sait-on donner profondeur au week-end ?

Sait-on le silence de la nuit ?

Sait-on la lumière de l'aube ?

Sait-on travailler avec d'autres ?

Sait-on manger avec goût et esprit ?

Sait-on vraiment vivre sa vie ?

Chaque moment requiert un espace pour respirer.

Chaque milieu a besoin d'un rythme pour créer.

Chaque homme est à la fois histoire et terroir.

• Une sagesse perdue ?

L'année internationale de la femme m'avait alerté au départ. J'ai essayé de voir s'il y avait là-bas un mouvement de libération chez les Africaines. J'ai découvert des choses fort intéressantes.

La ruse

Quelques jours après mon arrivée en Côte-d'Ivoire, j'entends le maire d'Abidjan qui fait un long plaidoyer sur la malpropreté de la ville. Il s'en prenait aux femmes. À ses yeux, elles étaient responsables du laisser-aller dans les divers quartiers de la ville. À la fin de son discours, il invitait les hommes à «mettre leur femme au pas pour l'entretien de la maison et de ses alentours». Je n'en croyais pas mes yeux. Intrigué, je questionne un groupe d'Ivoiriens et d'Ivoiriennes sur le discours du maire à la télévision. Tout le monde semblait d'accord avec le maire, même les femmes du groupe. Avant de partir, l'une d'entre elles me dit à l'oreille: «Vous savez, on les a toujours eus par la ruse. Si vous vivez ici un certain temps vous comprendrez». C'était ma seconde cote d'alerte. Comment vérifier? Des surprises m'attendaient.

Et maintenant le pouvoir

J'ai visité plusieurs villages en Côte-d'Ivoire et dans d'autres pays d'Afrique. On sait les efforts de développement tentés un peu partout. Par exemple, on met en marche des cultures intensives d'exportation sur une base commerciale et industrielle. Ce qui bouleverse profondément la société traditionnelle. En effet, celle-ci reposait sur des cultures de subsistance où la communauté villageoise produisait à peu près tout ce dont elle avait besoin. Les femmes, c'est bien connu, prennent en charge les travaux des champs. Les hommes chassent et pêchent; ils passent un temps énorme à discuter en buvant la bière locale. Mais dans les nouveaux projets de culture intensive, les règles du jeu sont profondément bouleversées. On ne développe que certaines cultures spécialisées et tout le monde est mobilisé autour de la même fonction. L'économie monétaire occidentale vient prendre la place du troc d'autrefois. On doit acheter une foule de choses qu'on produisait jadis. C'est ici que j'ai fait ma petite découverte.

Autrefois la femme gardait les petits revenus supplémentaires de son travail aux champs. L'homme le lui concédait facilement. C'était si peu. Or, voici que désormais toute l'économie repose sur la culture spécialisée. Les femmes ont développé des habitudes de travail et des aptitudes que les hommes n'ont jamais eues. Toute la nouvelle organisation de la production repose sur le rendement individuel. On est payé en fonction de sa productivité. Peu à peu l'économie passe aux mains des femmes, du moins au niveau de la base sociale locale. Et l'économie, c'est le pouvoir décisif. J'ai vu des situations assez drôles. Par exemple, des hommes qui venaient mendier un peu d'argent pour acheter de la bière. Au presbytère du village, les femmes discutaient le montant qu'elles accorderaient pour tel service, pour la prochaine fête. Pas un homme avait droit d'interférer dans l'établissement de cette politique. Même pas les riches mâles polygames. Pas bêtes ces Africaines !

Mais toujours la sagesse

À côté de ces audaces libératrices, j'ai trouvé une sagesse qui m'a fait beaucoup réfléchir. Bien sûr, il ne s'agit pas de chercher ici des modèles d'importation pour résoudre certains de nos problèmes occidentaux. Mais je me demande si on n'a pas perdu de vue cette longue expérience historique de l'humanité qui en était arrivée à des pratiques sociales que l'Occident a rejetées récemment.

L'enfant, en Afrique, est assumé par la communauté. Il y a un environnement humain plus riche, plus diversifié que dans notre famille nucléaire occidentale. La communauté compense bien des limites inévitables qui existent dans notre noyau familial restreint. L'Oedipe se resserre dans la relation trop étroite et exclusive entre le père, la mère et un ou deux enfants. Tout problème pathologique prend des proportions énormes. Il n'y a pas ces influences compensatrices d'une vie communautaire quotidienne où l'enfant peut avoir une foule d'autres relations gratifiantes. Les possibilités d'équilibre sont plus larges. Cela vaut tout autant pour les adultes. Le système social, au plan des relations humaines, est bien plus complexe et beaucoup mieux intégré que le nôtre. Je soupçonne que plusieurs Occidentaux ignorent ce fait.

Et nos incohérences

La famille nucléaire a appauvri l'expérience humaine de base. Elle s'est de plus en plus réduite et refermée sur elle-même en dépit des apparences. Les problèmes psychologiques se sont accrus en proportion inverse. La mode récente (et déjà passée) de la commune était peut-être peu réaliste. Mais, on y cherchait sans doute cet environnement humain quotidien qui existe dans les communautés traditionnelles que j'ai vues en Afrique et en Amérique du Sud. Nous sommes tellement convaincus de notre prétendue supériorité! Or, il y a bien des choses à découvrir, et même à ré-apprendre, chez ces porteurs du patrimoine humain que nous avons jeté par-dessus bord. Du moins faut-il arrêter de croire que notre civilisation est la version la plus perfectionnée de convivance humaine. Devant l'accroissement du désarroi moral actuel et des phénomènes pathologiques, on devrait commencer à envisager d'autres solutions. Encore ici, je ne veux pas présenter d'autres modèles, mais plutôt signaler cette illusion de notre civilisation qui tourne de plus en plus en rond, surtout dans sa vie sociale.

Quand je voyais ces Africaines ou ces Indiennes d'Amérique du Sud, avec leur enfant accroché au dos, j'y trouvais une leçon de vie. Chez nous, l'enfant quittait l'environnement familial aux environs de sept ans. L'entrée à l'école opérait la première distance, puis on inventa les maternelles... et les prématernelles... et bientôt les garderies en bas âge. Le contact physique et psychologique de l'enfant avec les siens a de plus en plus diminué. Je me demande si nos solutions actuelles ne sont pas trop conçues unilatéralement en fonction des adultes! Qu'on me comprenne bien, il ne s'agit pas ici de condamner des initiatives nécessaires: telles les garderies.

J'ai trouvé là-bas des milieux sociaux plus humains, plus sains et plus forts moralement, même dans des régions très défavorisées. Les femmes y jouent un rôle majeur. Les mouvements féminins des Occidentaux réclament de légitimes égalités. Mais ils laissent trop souvent dans l'ombre (pour ne pas dire: nient) certains rôles d'humanisation que le monde féminin de toutes les sociétés historiques a joués avec un délicieux mélange d'amour, de ruse, de grâce et de fermeté.

Autres pays, autres solutions

Bien sûr, je ne nie pas la diversité culturelle qui nous empêche de chercher le modèle social idéal ou unique. Je voudrais donner ici quelques exemples. J'ai vu dans un village, près du Lac Victoria, une mère et un père qui amenaient leur enfant chez l'oncle maternel. Dans cette tribu, l'oncle exerce l'autorité. L'enfant vient de faire un coup pendable. On le présente donc au tribunal coutumier. La scène est extraordinaire de tendresse et de finesse. Je n'oublierai jamais ce plaidoyer des parents qui défendaient la cause de leur enfant. Ainsi, on distinguait autorité et affection, tout en assurant la priorité à cette dernière. Pourquoi pas ?

En Tanzanie, des Chinoises débarquent au port de Dar-Es-Salam. Elles sont toutes habillées de la même façon. C'est même un costume identique à celui des hommes. Je vois la tête des Africaines ahuries ! Chacune de celles-ci portait une robe coquette bien à elle. Réflexe conservateur devant la révolution qu'on importe de Chine? Mais non, c'est là une sensibilité culturelle profonde, sinon une manifestation de l'éternel féminin. La femme flaire vite l'emprunt artificiel là où l'on sacrifie la beauté du pays réel qu'elle habite.

En Côte-d'Ivoire, à Abidjan, un farceur a habillé d'un pagne la sculpture de la place de la République. Le coup a été fait durant la fin de semaine. Je lis ce commentaire dans le journal local Fraternité-matin. « Nous nous devons de traiter la dame de la Place de la République avec un certain respect. Sa nudité est sans doute une marque de fidélité à l'Afrique authentique. » Autre pays, autres mœurs !

V

RETOUR ET REPARTANCE

Un revirement d'amour

«On revient toujours», comme dit la chanson. Au mitan de la vie, le paysage familier de chez soi fait corps avec la singularité de son âme. Mais, il y a plus. Le pays que je rêve m'apparaît plus réel, au retour de ce dépaysement. Mais oui, mon pays existe déjà, plus qu'une semence ou une promesse. Il vit dans cet espace vital, unique et précis qui m'a tant manqué au long de cette absence. Je suis empaysé. Ça me tient aux tripes comme au cœur. J'ai simplement ajouté d'autres raisons à cette appartenance. Des raisons qui s'y greffent comme marcottage de jardinier sur son arpent de terre. Une telle appartenance passe par d'humbles racines et de frêles tiges. Voici qu'au retour, je les retrouve menacées. Une étrange fièvre s'est diffusée dans mon pays un peu comme la rage.

Sous prétexte d'effardochage vigoureux du chiendent, on déracine à l'aveuglette le pire, mais aussi le meilleur. Et cela dure depuis un bon moment. On ne cultive plus, on ne fait que se battre. Les saccages intérieurs sont toujours plus féroces. Chacun connaît si bien le terrain ; mais ce qu'il y a de grave, c'est que ce terrain n'est même pas encore à nous. Où mènent-ils nos combats entre locataires ? Demain, le propriétaire sera toujours maître et encore plus fort. Seul peut-être, Menaud, celui qui est en nous tous, pourra rétablir un premier accord entre les cultivateurs de Sainte-Scholastique, les ouvriers de la place Desjardins et la jeunesse du Vieux-Montréal. Rien ne sert d'édrageonner les têtes si la vie ne circule plus en bas. Ce sont des œuvres et manœuvres de mort. Un gigantesque avortement. Je nous souhaite un revirement d'amour pour risquer une nouvelle naissance. Je sais ce vœu toujours vivant au fond de nos tripes et consciences.

● MENAUD ET LA SAINT-JEAN

Hérode a eu la tête de Jean,
un certain jour de fête.
Le prétexte était plus ou moins clair:
Baptiste l'empêchait de vivre sa vie.
Et le peuple n'a plus cru au mouton maudit,
mené à l'abattoir de la barbarie.

Mais au fait: qui était Jean?
Un homme nu, courageux et franc.
Un homme vert comme le cèdre du Liban.
Un homme avec sa seule force de croyant.
Hérode, lui, semblait le plus fort.
Pourtant, on le disait veule et mou.
Il fera taire sa conscience et ses remords.
Et bientôt, déçu, aigre, il deviendra fou.

Il n'y a pas longtemps des gens de ma race
se sont prêtés à cette sinistre farce.
Je croyais qu'ils avaient enfin compris:
pour la première fois apparaissait Jean,
le vrai, avec sa stature de géant,
un peu comme nos Menaud d'ici.
Je pensais que nous avions redécouvert
la taille et la vérité de nos pères.

Derrière les apparences de fragiles agneaux,
se cachait une force capable de renouveau.
Un grain patiemment jeté en terre.
Une résistance au creux du long hiver.
Une semence qui allait nous faire renaître.
Nos petits hérodes ont troqué ce printemps
pour nous enfermer dans des automnes déprimants.
À droite, à gauche, ils n'ont rien vu.
Et le peuple d'ici les a crus.
Ils ont dit que Jean, dans sa prison,
était un vil et débile mouton.
Il fallait lui couper la tête
pour libérer la fête.
Depuis lors, voyez nos célébrations.

Dans les rues du Vieux-Montréal,
sur les dalles décapées,
comme des antiquités,
on chantait près des halles :
des racines qu'on avait coupées,
des souvenirs qu'on avait moqués,
un baptiste qu'on avait décapité,
une langue qu'on avait saccagée,
une histoire qu'on avait oubliée.

Menaud revenu dans les parages,
cherchait en vain son héritage,
sa foi, son avenir, son courage.
Hé quoi, clamait-il avec rage.
Nous avons reconquis une terre.
Nous avons fait de vous un peuple.
Nous vous avons préparé un pays.
Et vous croyez fêter l'avenir
après avoir tué ce souvenir?

Nos croyances sont devenues des musées.
Et nos ouvrages de mortes antiquités.
Vous avez eu la tête de Jean,
mais vous avez perdu l'air de famille.

Vous vous déchirez bon an mal an,
même durant la fête en ville.
Mais saurez-vous enfin vous reconnaître
dans le pari têtu de vos ancêtres?
Ils ont surmonté un destin impossible.
Ils vous convient à un nouveau possible.

Eh oui, nous avons parfois erré,
mais sans jamais désespérer.
Vous vous dites tristes et désabusés.
Auriez-vous besoin d'une attisée?
Sous les cendres des vieux feux d'hier,
moi, Menaud, j'ai entretenu une braise.
C'est cet espoir fou
d'un pays bien à nous,
qui m'a gardé vivant au milieu de vous.

Malgré les froidures des derniers temps,
mon peuple retrouve sa chaleur de vivre.
Je vois converger de grands sentiments
pour redresser et réorienter le bateau ivre.
Nous n'accepterons plus pareilles dérives.
Il fallait raccorder nos fortes émotions
avant d'entreprendre l'étape décisive
d'une efficace et profonde libération.
Un signe, nous sortons du Vieux-Montréal
pour envahir le Mont-Royal.
Mais, c'est pour mieux découvrir le fleuve
à regagner avec les forces neuves
qui jaillissent de nos plus lointaines passions.
Le temps est venu de reprendre la barre
pour nous ré-aligner sur le même phare
et donner à la première conquête de nouveaux horizons.

Repartance

À mon âge, on n'a pas le goût des conclusions, encore moins des testaments. De bout en bout de cet ouvrage, j'ai essayé d'être vrai sans imposer ma vérité. Oh, je sais que mon propos a viré parfois au manifeste militant. Ce n'était pas mon intention. Je voulais tout simplement exprimer une expérience de vie et comprendre celles des autres de ma génération. Mais je m'inquiète tout de même quand des interlocuteurs se sentent menacés devant celui qui affirme de fortes convictions. Un certain style de tolérance démocratique ne supporte que des opinions. «Tu as la tienne, j'ai la mienne.» Il faut être *cool* en Amérique. À la limite, pareille attitude devient un conformisme d'emprunt. Plus détestable encore quand il se double d'une méfiance latine qui se hérisse devant l'autre, différent de soi.

Mieux nous aimer

Si nous voulons être vraiment un peuple solidaire, il faudra bien trouver quelque façon commune de nous raccorder et de nous comprendre. À en croire certains, cela est impossible. Ils cherchent constamment derrière vous le rond d'ombre. «Qu'est-ce qu'il cache celui-là?» D'ores et déja, la rencontre est piégée. Elle se poursuivra sous la ligne de flottaison. Ce sera la chasse aux anguilles sous roche. Une telle attitude a pris de l'ampleur depuis que nous avons trouvé un tas de différences entre nous. Les clans se multiplient malgré les alliances ou les fronts communs officiels. On ne s'est jamais autant vilipendé.

Peut-être devrons-nous apprendre à nous aimer « excessifs » et râleurs ? Après tout, les tentations d'apathie collective sont autrement plus dangereuses. Tant de conditionnements jouent en ce sens. *La télévision nous a assis autant que le clergé d'autrefois.* Nous pouvons même y voir nos procès. Tout devient spectacle. Le peuple tout entier est à l'écran... le monde entier... enfin tout. Nous devenons des consommateurs avertis ! Je me demande si cette passivité à long terme ne provoque pas l'effet contraire : des insatisfactions aveugles et des pulsions explosives. Je souligne ces choses pour montrer que le bât blesse à plusieurs endroits. Il n'y a pas qu'une seule raison. Mais on n'en finirait pas de toutes les chercher. Après tant d'analyses et de critiques, plusieurs ne savent plus affirmer quoi que ce soit. Ils se sont trop alimentés de négations. On comprend le vide ressenti ! Combien se retrouvent incapables de préciser ce qu'ils veulent ? J'ai noté cette impuissance en combien de luttes et débats récents. Quelle école, quel syndicat, quel hôpital, quel État, quelle morale vise-t-on ? Le discours devient tout à coup vague et incertain. Et pourtant les critiques étaient vertes, drues et assurées.

Réinventer des accords au fond de soi

Quand les langages et les idées tout autant que les structures et les politiques sont décrochés de la vie, il faut revenir à celle-ci. J'ai fait un pari en suggérant une sorte de révision honnête et exigeante de sa propre expérience. Je crois qu'un bon bout de chemin est fait, lorsqu'un homme s'impose la remise à jour de sa feuille de route. Il saura mieux ce qu'il veut et ce qu'il attend des autres. Cette démarche n'est pas exclusive à l'homme du mitan. Mais nous en mesurons le prix à cet âge. J'ai voulu révéler surtout ce qui fait vivre certains d'entre nous, par delà les pauvretés que nous partageons avec un peu tout le monde.

Cette approche plus positive m'a fait découvrir des richesses bien nôtres que nous n'exploitons pas assez. J'ai insisté sur certains grands sentiments qui nous habitent. Ils précèdent, accompagnent et dépassent nos raisons de vivre et de lutter. Le mot «sens» en français est aussi charnel que spirituel. Il tient du goût comme du jugement, du sentiment comme de l'intelligence. Il transforme l'idée en valeurs et le vécu en force créatrice. Il évoque le plaisir immédiat et le bonheur du dépassement. Sensation et signification. Sens intime et sens commun. Bon sens et sens moral. Que de riches connotations dans cette expression française!

Je retiens ici sa double polarité pour indiquer un raccord à faire dans notre vie actuelle. *Il nous faut peut-être réapprendre à unir vitalement tripes et conscience.* Je soupçonne que nous les avons dissociées depuis quelque temps. Une certaine confusion sociale et mentale a brouillé nos passions, au point de les transformer parfois en colères «insensées», stériles, et trop souvent en retombées d'indifférence sceptique, fataliste. Quel appauvrissement, si nos passions les plus profondes perdent à la fois leur orientation et leur élan premiers. Certains se replient sur l'ordre et la vie «plus sensée». Je ne nie pas ce besoin de cohérence, surtout dans les conjonctures actuelles. Mais de quelle cohérence s'agit-il? Celle d'un bon sens plat et exsangue, sans allant et sans horizon? Tout ce qu'il faut pour asseoir un certain pouvoir investi. À l'autre extrême, les excès «désordonnés» font naître des réactions de sécurisme réfractaire même aux risques bien calculés. Le divorce entre les idéologies disputées et les vécus doit beaucoup à ces dislocations au fond de nous-mêmes.

Pour des passions convergentes

Mais cette sagesse critique est bien insuffisante pour comprendre l'originalité culturelle et historique qui nous identifie. Pourquoi sommes-nous à la fois «sécuritaires» et excessifs? On a proposé toutes sortes d'explications. Telles par exemple, les contradictions internes à la conscience des colonisés. Nos passifs ont été bien mesurés. Et nos actifs? N'y a-t-il pas en nous de grandes passions convergentes qui pourraient provoquer un saut qualitatif? Dans le creux de la situation présente, l'histoire qui nous a faits «peuple» reflue comme une sève bourgeonnante de nouveaux projets. Plusieurs d'entre nous réinventent des liens dynamiques entre les entêtements d'hier, les indignations du présent et les libérations de l'avenir. *Nous nous devons d'être excessifs de par notre condition historique.*

Les prétendus réalistes raisonnables ont eu le temps de mettre à l'épreuve leur bon sens. Ils sont les premiers responsables des culs-de-sac actuels. Bien sûr, les «excessifs» parmi nous font des erreurs. Leur politique est jeune, sans expérience. Leur discours est parfois abstrait, peu «populaire». Mais ils rejoignent davantage le pari historique qui nous identifie en Amérique, et peut-être ce que nous sommes radicalement. À moins de sacrifier cette identité profonde, nous aurons à donner une structure et un sens politique à ces grandes passions qui traversent notre histoire de bout en bout. Je suis de ceux qui y voient à la fois urgence et investissement à long terme. Je n'ai pas le goût de distinguer indéfiniment les diverses formes de tyrannie et d'asservissement. Cette administration idéologique, semblable à l'autre qu'elle conteste, nous a fait perdre trop de temps.

Oui ou non, saurons-nous trouver un accord de fond dans la vieille et neuve passion d'un pays à nous? Ce vœu existait dès le début de notre aventure collective. Je ne crois pas qu'il ait été, par la suite, simple instinct de survivance. Notre défi historique était à la fois plus humain et plus politique. En deçà des fausses assurances proclamées par nos roitelets autochtones, beaucoup des nôtres ont toujours maintenu en eux, avec dignité, le refus d'un joug inacceptable et la requête d'un affranchissement décisif. Le rêve d'indépendance et d'affirmation de soi est plus qu'une aspiration d'adolescent. N'est-il pas la plus évidente dynamique historique de tous les peuples? Combien veulent nous faire oublier cette source vitale de libertés entreprenantes? Ils se disent de l'arbre tout en ne reconnaissant pas la sève qui pourrait le féconder. Comme l'amour, la liberté produit de bons et mauvais fruits. Mais cela la condamne-t-elle pour autant? Je soupçonne une peur stérile là-dessous.

Primat des ressources morales

«Oui, mais pas à n'importe quel prix.» Bien sûr, par ailleurs les réticents fixent bien bas le prix qu'ils accepteraient de payer, en tout cas juste assez pour se défiler. Ce genre de calcul nous éloigne de notre situation réelle. Les conjonctures présentes dissipent les illusions de prospérité que certains pouvoirs ont entretenues. Plusieurs d'entre nous se rendent compte des lourdes hypothèques qui pèsent sur l'avenir déjà très compromis de notre communauté. D'énormes emprunts ont masqué notre appauvrissement. Bientôt nous ferons face à l'austérité, mais ce sera avec un esprit de faux riche déclassé. Voyez l'insuccès des gouvernements qui suggèrent des restrictions volontaires pour vaincre l'inflation. *Leur libéralisme a exténué depuis longtemps les ressources morales nécessaires à une telle discipline solidaire.*

L'histoire des peuples nous a enseigné que les temps d'austérité peuvent faire naître de vigoureux renouvellements, s'il y a au départ un fond moral robuste et de grande qualité. Les tenants du pouvoir ont dissocié certaines conditions inséparables de relance historique en pareille situation; ils ont exalté la promotion des plus forts, et découragé la création collective, la libération solidaire chez la masse des citoyens. Et les voilà surpris des refus égoïstes et individualistes devant les impératifs d'une économie et d'une politique plus solidaires. Des valeurs importantes ont été absentes de ces étroites administrations partisanes. Par exemple, une éthique politique très exigeante dans l'utilisation des fonds publics, dans le contrôle démocratique des forces économiques, dans l'exercice des fonctions gouvernementales.

Les nombreux scandales récents ont été préparés par une longue érosion de l'honnêteté à tous les niveaux. Il était convenu qu'on pouvait mentir pour sauver la face du parti, du pouvoir, du gouvernement. Il était convenu que le monde des affaires pouvait s'organiser uniquement en fonction de ses intérêts privés. On ne devait pas jouer la vertu dans ces domaines. Une telle corruption de la conscience «publique» s'est diffusée largement. Pour aborder un temps d'austérité, nos motivations proprement sociales se révèlent bien pauvres, de même la force morale des individus.

Malgré tout, je reste confiant. Je sens une sorte de réveil de la conscience et de la dignité, une volonté de sortir des sentiers battus. Plusieurs consentent à explorer de nouvelles avenues, à envisager des risques impérieux. Je n'ignore pas l'autre versant de cette évaluation collective des derniers temps. Certaines exaspérations virent au repli sur soi et au désengagement. Parfois elles appellent des solutions autoritaires et sécuritaires. Cette ambivalence de la conscience actuelle porte une dramatique semblable à celle de l'homme de quarante ans.

Une nouvelle intelligence de soi et de son pays

Le peuple d'ici vit le tournant de la «quarantaine». Il a fait toutes les expériences de la vie. Il arrive au moment crucial de l'évaluation systématique de son itinéraire passé, présent et à venir. Après l'avoir jugé, décanté, retourné comme une terre à cultiver, il lui faut risquer une nouvelle fécondité. C'est folie de croire qu'il peut rayer sa vie, son identité, pour partir à zéro et s'inventer une tout autre personnalité. Par ailleurs, après quarante ans, on vieillit très vite, si on se contente de ce qui s'est cristallisé en habitudes. À trente ans, on peut se permettre une révolution tranquille, puisqu'il y a encore un certain jeu d'espace et de temps. Mais dans la mesure où l'on a reporté sans cesse les transformations les plus décisives, cette révolution tranquille se fait alors d'une façon erratique, chaotique, précipitée. Essoufflé, on se replie, on s'inquiète, on s'agite. Mais bon gré mal gré, il faut bien foncer dans l'avenir puisque le temps passe. Mais les règles du jeu ont changé. Une simple mise en ordre ne suffit pas. Le second souffle viendra de très loin... tout au fond des tripes et de la conscience.

Ce rapprochement entre l'itinéraire individuel et celui du «pays» n'est pas vain. Je me demande si beaucoup d'entre nous ne les ont pas disjoints, d'une façon artificielle comme l'a fait un certain libéralisme. Qu'on me comprenne bien, je ne nie pas ici la légitime autonomie de la personne et de son projet de vie. Mais une saine philosophie — c'est du moins ma conviction — ne sépare pas l'individu de ses rapports sociaux, de son propre contexte culturel et historique. Sans rapports réciproques, ces deux dimensions fondamentales de l'homme s'affaiblissent. Et l'on peut constater dans la société libérale actuelle la preuve à rebours de cet appauvrissement: à la fois une crise de la subjectivité et un désarroi collectif, sans philosophie de base pour comprendre et assumer l'une et l'autre. D'où ce mal-à-vivre indéfinissable que ressentent tant de citoyens. J'ai tenté ailleurs de préciser cette philosophie[1]. Ici, je retiens davantage les dynamismes intérieurs qui peuvent déclencher les décisions appelées par une nouvelle intelligence de soi et de son temps.

Une cohérence intérieure ouverte à tous les possibles

Je pense à la volonté farouche de ne pas transiger avec sa dignité et sa soif de liberté; je pense à cette foi du dedans qui alimente un courage et un espoir soutenus dans la lutte; je pense à ce revirement d'amour pour humaniser sa passion du pays, et ses rapports avec les autres; je pense au goût de vivre «à fond et au bout» une

1. *Le privé et le public*, 2 vol., Leméac, 1975.

expérience humaine signifiante; je pense à cette capacité de joindre la tendresse et la patience à la radicalité de ses engagements; je pense à un sens du long terme dans des cheminements historiques ouverts aux divers possibles; je pense à la finesse de l'humour devant les limites de soi et des autres, devant l'échec ou la demi-réussite.

Je sais les préventions de la génération montante. Elle a démystifié ces valeurs majusculées d'un certain humanisme inflationnaire. On ne croit plus aux «idéaux» officiels, et pour cause! La vague récente de scandales a parachevé cette érosion. Certains slogans sur les pancartes de protestation me paraissent parfois aussi vides et factices. Il ne reste à vrai dire que la vérité des gestes. Mais cette vérité tire son inspiration de quelque part. Ce n'est pas une sincérité du moment, si souvent abusée par des illusions. Tant de contrefaçons travestissent les attitudes et les comportements. Seule une solide philosophie de la vie peut constituer un cadre cohérent de jugement critique et d'orientation. De cela, un adulte ne peut se passer, s'il veut comprendre et maîtriser l'ensemble de sa vie.

Il ne s'agit pas de chercher l'humanisme idéal et unique. Nous savons mieux aujourd'hui l'existence de diverses anthropologies et la possibilité de différentes conceptions de la vie et de la société. Cette ouverture et ce pluralisme appellent paradoxalement une identité plus consistante, une liberté plus cohérente, des choix plus réfléchis et aussi plus difficiles. Les accommodements superficiels sont ici débilitants. Ils assujettissent la vie aux vaguelettes des toutes dernières modes. Voyez le caractère fluide et flasque d'une opinion publique à l'image des opinions individuelles. On a des idées sur le tas au gré des événements.

Pour s'assurer une influence plus efficace et durable, les spécialistes de la publicité en sont venus à ne miser que sur le subconscient et ses archétypes permanents. À leurs yeux, il est inutile de manipuler une conscience aussi désarticulée.[2]

Libérer la conscience

Voilà où nous en sommes, après avoir moqué les philosophies, les éthiques, les humanismes qui établissaient la conscience comme levier premier de la possession de soi et de l'affirmation politique. Nous avons ainsi laissé libre cours à des manipulations autrement plus redoutables que les déterminismes d'hier. Manipulations savamment appuyées sur les systèmes découverts par les structuralistes. Jamais la conscience libre et lucide n'a été aussi battue en brèche, même chez des révolutionnaires qui restent dans le sillage d'un tel mécanisme. Ne restent-ils alors que les fuites mystiques dans des utopies décrochées de l'intelligence et de la maîtrise du pays réel? On le croirait bien quand on voit l'explosion actuelle des mythes extra-terrestres, parapsychologiques et autres.

Les grands desseins politiques libérateurs, mondiaux ou nationaux ont bien peu d'appui dans la quotidienneté des consciences et des comportements. «Là où les éléphants se battent, l'herbe ne pousse plus.» Ce vieux proverbe africain nous interroge sur la qualité de nos *grass*

---

2. W.B. Key, *Subliminal Seduction*, New American Library, 1975. De toute part le consommateur est soumis à une multitude de *stimuli* de l'inconscient, cachés derrière des images et des mots apparemment inoffensifs. Ce double langage au service d'une manipulation abusive est un viol constant de la conscience et de la liberté.

roots. La taille de l'homme semble être inversement proportionnelle au gigantisme de ses cités, de ses structures et de ses produits. Je formule ici un constat, et non une quelconque loi inéluctable de la condition humaine. Il peut en être autrement, si nous faisons plus large place aux forces spirituelles évoquées plus haut.

On dit l'humanité au point zéro dans la redéfinition de son avenir, dans la mise en œuvre de changements libérateurs. Et pourtant, n'a-t-elle pas des ressources scientifiques et techniques extraordinaires? Les scénarios politiques ne manquent pas. De même les échéances planétaires de la faim, de la pollution, de la population, du péril nucléaire devraient inciter de pressantes décisions historiques. Alors comment justifier pareils attentisme et démission? Oh! je sais bien qu'il y a plusieurs raisons. Mais j'en vois une extrêmement importante que les politiciens, les experts et l'homme de la rue ne mentionnent jamais. On en a perdu la trace. *Ce qui nous manque aux uns et aux autres, c'est une spiritualité*. Mon propos sera scandaleux.

UNE SPIRITUALITÉ

C'est une spiritualité qui peut unir vitalement le cœur, la tête et les mains; l'histoire et le quotidien; la culture, l'économie et la politique dans un champ humain donné. C'est à la fois une sagesse, une science et un art de vivre. C'est aussi, inséparablement, une philosophie, une pédagogie et une *praxis* d'existence.

Une spiritualité permet à un vécu collectif original de s'exprimer, de se comprendre, de se partager, de se transformer, de se célébrer et de se dépasser. Elle fédère dans un ensemble cohérent les diverses dimensions d'une expérience de vie. Elle intègre au réel les rêves et les projets que l'on porte. Elle marie le sentiment, la raison et le geste, trois réalités humaines trop souvent mal articulées l'une à l'autre.

L'unité de l'homme est d'abord spirituelle. La politique distingue des pouvoirs, l'économie répartit des biens, la technique organise des moyens, la philosophie hiérarchise des fins, la culture affirme une originalité, mais seule une spiritualité peut unifier la vie, et opérer une nucléation des expériences de l'homme situé. Je dis «situé», parce que cette instance globale et vitale se bâtit à même une histoire toujours particulière, sans pourtant s'y enfermer. L'homme est plus que sa culture ou sa politique, ou même sa philosophie. Il est plus que les systèmes qui le définissent, fût-ce une idéologie ou une religion. Celui qui se veut maître de son aventure humaine doit nouer ces diverses dimensions à un autre niveau à la fois plus large, plus profond, plus ouvert. La spiritualité joue ici le rôle d'une clef de voûte; elle intègre d'une façon quasi-organique l'ensemble des expériences d'un homme.

C'est peut-être au mitan de la vie qu'on découvre toute l'importance de cette économie spirituelle. L'homme de quarante ans procède à une révision globale de son itinéraire. Et il sent bien qu'il ne peut continuer ou changer sa vie sans retrouver ou recréer une unité au fond de lui-même. Ce qui lui manque souvent pour unifier son existence, c'est cette économie proprement humaine que j'ai appelée une spiritualité. Cette difficulté vient surtout d'une société qui a fait fi des dimensions spirituelles de l'homme.

Soyons honnêtes. Pouvons-nous surmonter une crise «humaine» par de pures techniques, un malaise spirituel par des réaménagements matériels de structures? Même la visée politique d'une lutte autour des moyens de production laisse entier le problème des fins qu'on poursuit, des contenus humains de cette autre société cherchée. Il ne suffit pas de changer les formes de pouvoir ou d'avoir. Certaines révolutions politiques récentes en témoignent. Il faut réintégrer l'instance spirituelle dans l'éducation, le travail, la politique, les rapports sociaux pour les humaniser. Avouons notre analphabétisme et peut-être plus encore notre incroyance en ce domaine.

Nous avons été profondément marqués par l'économisme matérialiste des derniers siècles. Les deux grandes idéologies dominantes, dans leurs traductions historiques concrètes, ont pratiquement réduit l'homme à sa condition de producteur (sur des bases sociétaires différentes, évidemment). Toutes les deux n'en demeurent pas moins très réductrices de l'homme. Je leur trouve bien peu de chaleur humaine et de densité spirituelle. D'énormes richesses culturelles sont laissées pour compte. On me convaincra difficilement de la pertinence du matérialisme historique. Lui aussi, il a enfermé l'histoire humaine dans le corridor étroit de lois déterministes qui font de la liberté une instance seconde, pour ne pas dire illusoire. Je caricature à peine. Il suffit de regarder quel monde il a fabriqué.

J'ai une tout autre conviction : c'est par le spirituel qu'on dégagera davantage les divers possibles de l'homme, sa riche complexité culturelle, son ouverture radicale sur des horizons nouveaux, ses ressources sapientielles illimitées. Je n'accepte pas d'être enfermé dans des choix exclusifs : *homo ludens* ou *homo laborans*, animal politique ou dieu mystique, être cosmique ou historique, esprit ou chair. L'homme est aussi charnel que spirituel, aussi transcendant qu'historique. Ce n'est pas inutile de le rappeler au moment où l'on oppose une unidimensionnalité à l'autre dans les débats à la mode. J'ai parlé de spiritualité, non seulement pour affirmer un primat, mais aussi pour exprimer l'expérience humaine dans sa multidimensionnalité et son ouverture à des possibles encore non explorés.

Une spiritualité, aussi, saisit plus finement les riches virtualités d'une histoire, d'une culture, d'un champ humain donné. Les religions ont monopolisé longtemps ce niveau de l'expérience humaine. En les rejetant plus ou moins aveuglément, la société sécularisée ne s'est pas rendu compte de la perte d'une instance fondamentale pour exprimer l'entièreté de l'homme, de sa vie, de ses rêves et projets, de son histoire et de son ouverture sur des dépassements inédits.

MON PARI

Dans cet ouvrage, j'ai tenté de révéler ma spiritualité. Avec plus ou moins de bonheur, sans doute. Moi aussi, je vis la pauvreté de mes contemporains en ce domaine. Mon témoignage forcément modeste et très imparfait a peut-être l'avantage d'indiquer une démarche d'homme bien ordinaire. Rien ici d'une théorie savante ou d'un prophétisme brillant. Je ne me suis pas, non plus, rattaché à la doctrine d'un maître, pour bien indiquer la responsabilité personnelle de trouver sa propre cohérence. Évidemment, j'ai relié cette démarche à mes appartenances. On ne se définit pas uniquement à partir de soi-même. L'homme s'inscrit toujours dans des réseaux de rapports sociaux, dans un contexte de vie particulier, dans un sillage historique.

J'ai privilégié l'approche du mitan de la vie, parce que cette période est peut-être le moment le plus fort d'évaluation d'une expérience humaine. J'ai fait un pari. Dans la cacophonie actuelle, nous allons peut-être réapprendre à nous comprendre, à nous aimer à travers l'échange attentif et positif de ce qui nous fait vivre, lutter et espérer.
espérer.

TABLE DES MATIÈRES

III DE QUELQUES COLÈRES

IV RENOUVELLEMENT D'UN REGARD SUR LE MONDE

V RETOUR ET REPARTANCE